囲碁AIの技術と思想

坂じゅんいち

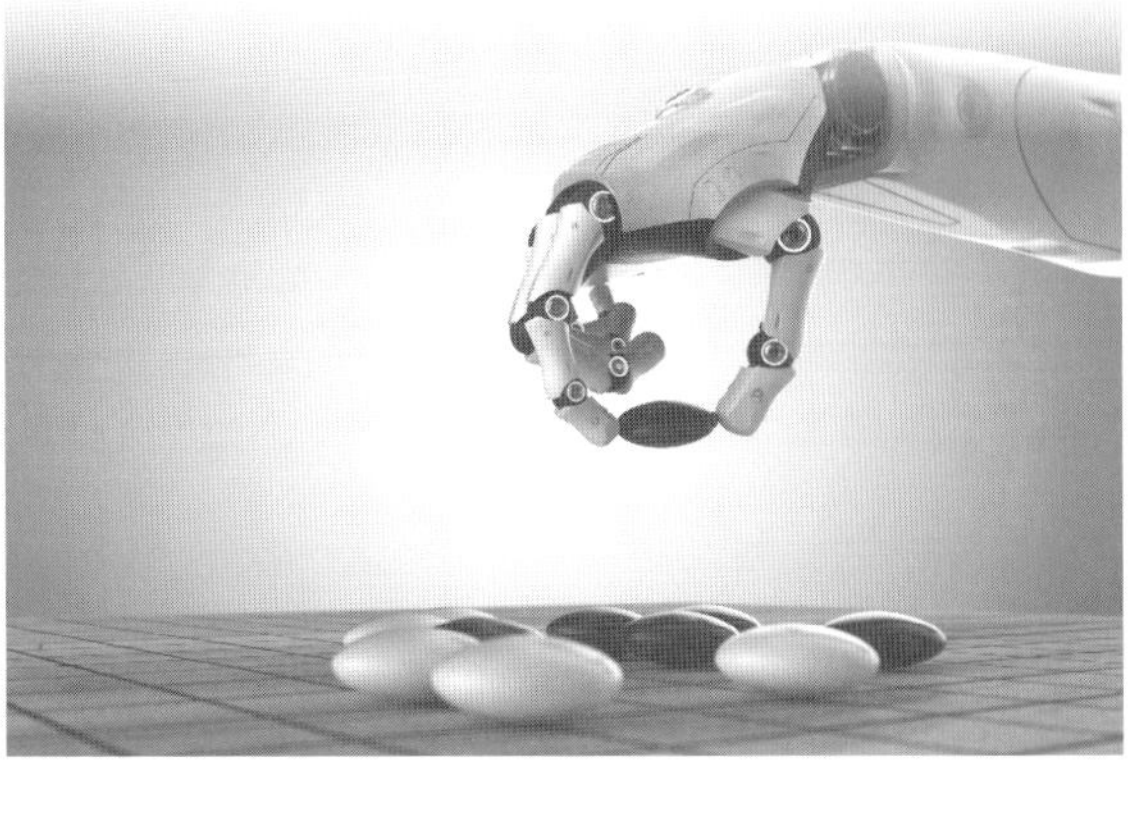

第三文明社

まえがき

２０２０年以降、世界中で新型コロナウイルスが猛威《もうい》をふるいました。日本でも緊急事態宣言が出されるなど、長期にわたって社会と生活に多大な影響をおよぼしました。私たちＮＰＯ法人囲碁教育振興会も、予定していた第３回日中友好交流セミナー、第９回アジア平和子ども囲碁大会予選等の活動を一切中止せざるをえませんでした。先行きが見えない状況が続く中、２０２２年2月、ロシアがウクライナに侵攻を開始。私は、「この戦争は人ごとではない」と強い危機感を覚えました。

翌年5月、新型コロナウイルスが5類感染症に指定移行され、少しずつ社会活動が再開される中、日中国交正常化50周年記念総会、講演会の開催を皮切りに、私は国内での囲碁普及活動に東奔西走《とうほんせいそう》しました。

その中にあって常に私の頭を離れないものがありました。それは、AI（人工知能）に対する興味と、そのすさまじい能力に対する畏怖《いふ》です。

きっかけとなったのは、2016年、韓国の囲碁棋士イ・セドルがグーグル傘下《さんか》のディープマインド社が開発した囲碁AIプログラム「アルファ碁（AlphaGo）」に善戦むなしく敗れたこと。さらに2017年、当時世界ランキング1位だった中国の棋士・柯潔《かけつ》がアルファ碁に3連敗したことでした。この出来事に遭遇《そうぐう》して以来、私はAIについて学び、思索《しさく》をめぐらせてきました。

今のAIを支える中核的技術がディープラーニング（深層学習）です。元来、数学好きであった私は、ディープラーニングを実現するためのニューラルネットワークについても、理解を深め、学ぶことができました。囲碁AIを糸口として、AIそのものに対する興味を広げることができたのです。

一方で、ＡＩといっても、長い人類の歴史から見てみれば、計算技術の進展から生まれた1つの技術にすぎません。本書では、原初的な計算用具からコンピューターへの発展、コンピューターの能力が飛躍的に向上したために実現できたＡＩ技術の歴史を概観《がいかん》し、なるべく平易に解説を試《こころ》みたいと思います。そして、ＡＩが私たち人類に与える影響と課題についても考えをめぐらせました。

本書完成まで、試行錯誤《しこうさくご》しながらの数年間、第三文明社編集部には、温かく見守っていただきました。この間のご厚情に感謝の意を表します。

著者

「囲碁AIの技術と思想」目次

装幀：株式会社クリエイティブ・コンセプト
本文レイアウト：安藤聡

第1章

計算機の歴史

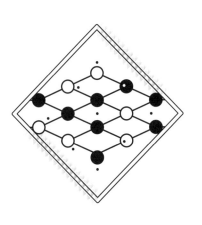

1 計算機の起源

人間生活と計算

有史以前のはるか昔から、人間は数を知り、数え、生活に役立ててきました。当初は10本の指を用いて数えていたでしょう。そこから10進数も生み出されたといわれています（諸説あり）。

時計を見てみれば、日常生活の1時間は、地球における1日の24分の1の長さとして定義されています。さらに時間の単位は分、秒とあり、1時間は60分、1分は60秒。1時間は1秒の3600倍ということになります。

10進数は、10ごとに桁《けた》が1つ上がりますが、時計などは60進数・12進数の考え方で動いています。時計盤には12までしか数が書いていませんが、これは12を基本にして時間を数えているからです。そして、のちほど触れますが、コンピューターやＡＩ（人工知能）は、２進数で動いています。このように、私たちは数に囲まれて生きているともいえます。

日常生活での、簡単な数の足し算・引き算程度であれば、自分の指を使って計算もできるでしょう。２桁程度の足し算・引き算になると、指では足りないので暗算になると思いますが、３桁以上になればどうでしょうか。中には暗算が得意な人もいるでしょうが、一般的には難しそうです。

大きな数を数える必要が生まれたのは、農耕《のうこう》文化、牧畜《ぼくちく》文化が発展するにつれ、大量の穀物《こくもつ》や家畜《かちく》を管理する必要が発生したときと想像できます。計算量が膨大《ぼうだい》に増えたのです。

人間にとって、大量の数値計算は苦手です。計算の方法が理解できても、実際の計算実行は、扱う数が多くなればなるほど困難です。そこで、「計算機」の必要性が生まれます。

当然、現在のような卓上計算機や、表計算ソフトが古代にあったわけではありません。計算を助ける道具がまず生まれます。紙も鉛筆もない時代、身の回りにある用具の材料は、木や石です。

琴棋書画とTTS理論

古代中国人は、生活空間を豊かにするため、「琴棋書画《きんきしょが》」を生み出しました。これは琴＝音楽、棋＝囲碁、書＝書道、画＝美術工芸を意味しており、中国で今も大切にされている伝統文化です。

この4つの文化に共通する素材があります。その素材は木（tree）、糸（thread）、石（stone）です。中国で4000年以上の歴史がある伝統文化の素材は、T・T・Sから成り立つと定義し、私はそれを仮説・TTS理論と名付けました（坂じゅんいち『囲碁文化と学校教育』第三文明社、参照）。

計算用具もTTS理論の例外ではありません。古代の計算用具も、木と石であったり、石のみ、木のみから成り立つと考えられます。

本書でAIを考えるにあたって、その源流となった計算用具の歴史からひもといてみたいと思います。

琴棋書画図（模本）。琴棋書画の４つは知識階級が身につけるべき教養とされ、絵画のモチーフにも多く登場する
東京国立博物館所蔵。出典：ColBase（https://colbase.nich.go.jp/）

世界最古の計算用具

紀元前2700年から紀元前2300年ころ、メソポタミア地方のシュメールというところでアバカス（abacus）が使われたという記録が残っています。アバカスとは、今でいう「そろばん」にあたる計算用具です。また、楔形文字《くさびがた》で記された粘土板の乗算表も発見されています。

現存する最古の計算用具としては、アテネの南西のサラミス島で発掘された「サラミスのアバカス」が有名です。紀元前300年ごろのものとされています。

このアバカスは、大理石板上にギリシャ数字と平行線が彫られているもので、その線上に小石を置いて計算しました。

こうした形式のものは「線そろばん」とも呼ばれ、ヨーロッパでは17世紀ごろまでこの方式で計算が行われていたようです。また、この小石

（calculi）が、英語のcalculate（計算する）の語源になったといわれています。

さて、この最古のアバカスを用いて、当時の人々はどのように計算していたのでしょうか。四則演算（足し算、引き算、掛け算、割り算の4つの計算）のうち、足し算と引き算の計算は、現在のそろばんでも行うように、桁上げしながら石を動かす方法で計算されていたと考えられます。

では掛け算と割り算については、どうでしょうか。現代のそろばんでは、これらの計算には九九の暗記が必須です。当時、九九の暗記法があったかわかりませんが、なかったとすると、初期のアバカスでは和、差計算が中心であったかもしれません。代わりに考えられるのが、乗算表の使用です。あらかじめいくつかの数字の掛け算を計算しておき、表にしたものです。この表を見ながら計算していた可能性があります。

アバカスの発展

アバカスにはほかにも種類があります。たとえば、ローマ人が、紀元前300年から紀元後500年の時代に使っていたといわれる「ローマ溝《みぞ》そろばん」があります。携帯用の小さな板に溝を作り、その溝に珠《たま》を置くそろばんです。

溝にはめ込まれたバーベル状の珠を下にして数を入れたと考えられています。整数入

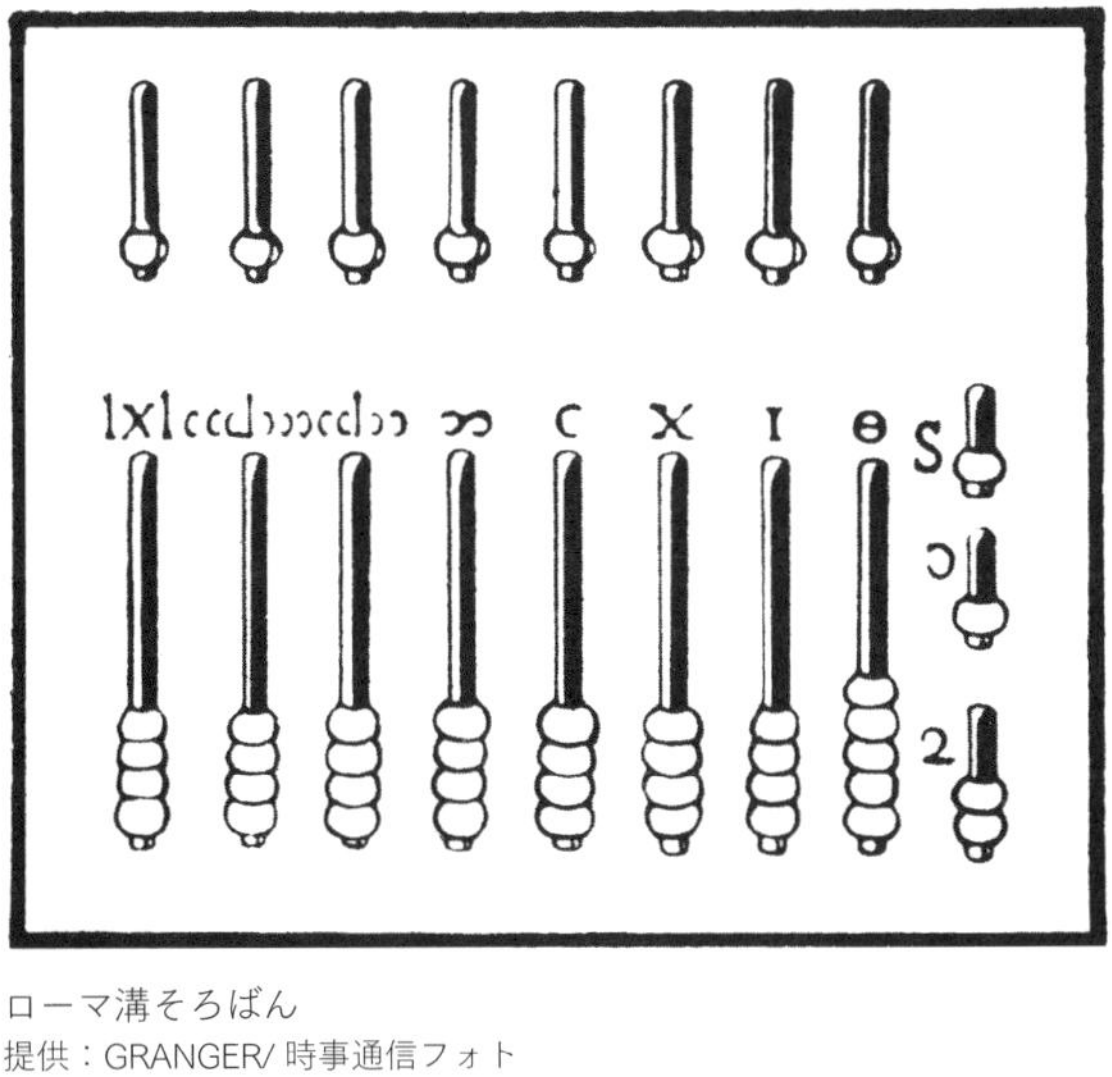

ローマ溝そろばん
提供：GRANGER/ 時事通信フォト

力部は8桁で、現在のそろばんと同じように天（上部）1珠、地（下部）4珠と分かれており、右の小さい列は分数の計算に用いたようです。この溝そろばんが中東を経て中国に伝わり、現在私たちが使っているそろばんの原型となったともいわれています。

最初期のアバカスは、石を置いて計算していました。2桁×1桁の計算であれば、石を動かしながら計算できます。しかし、2桁×2桁や3桁×2桁になると、数十個の石を操作しなければなりません。そこで、石を珠に変え、珠の中心をくり抜くことで動かしやすくしたものが、現在のそろばんへつながる革新だったのです。石を取り上げたり配置したりする面倒さを解消し、大きな数や複雑な計算の操作も容易になりました。

そろばんと囲碁の相似性

これまで見てきた各種のアバカスは、計算することを目的として、線上に石などを置き、数を数えて使用するものでした。

その点、囲碁も似ています。私は、囲碁の教育的効果に注目し、これまで囲碁教育の進展に尽力してきました。囲碁は、対局が終了したら、盤面上に残った石の形から、より多く陣地を確保したほうが勝ちとなります。自然と数学的思考が重要となり、計算力や集中力、対局を読む判断力が身につきます。

この囲碁の誕生については諸説ありますが、計算用具から発展して生まれたという説があり、いつから始まったのか定かではありませんが、数千年の歴史があると考えられています。

囲碁評論家で、日中囲碁交流にも尽力した安永一《やすながはじめ》は、その著書『中国の碁』（時事通信社）の中で次のように記しています。

「碁盤と碁石が中国の古い数学に使用される算盤《さんばん》と算木《さんぎ》から出発していることは、その後の記録その他からもほぼ確かである」

また、囲碁の起源として、占いや天文学から発生したとの説もあります。

現代に伝わる世界最古の棋《き》譜《ふ》（対局で実際に打たれた手順を記したもの）は、中国の三

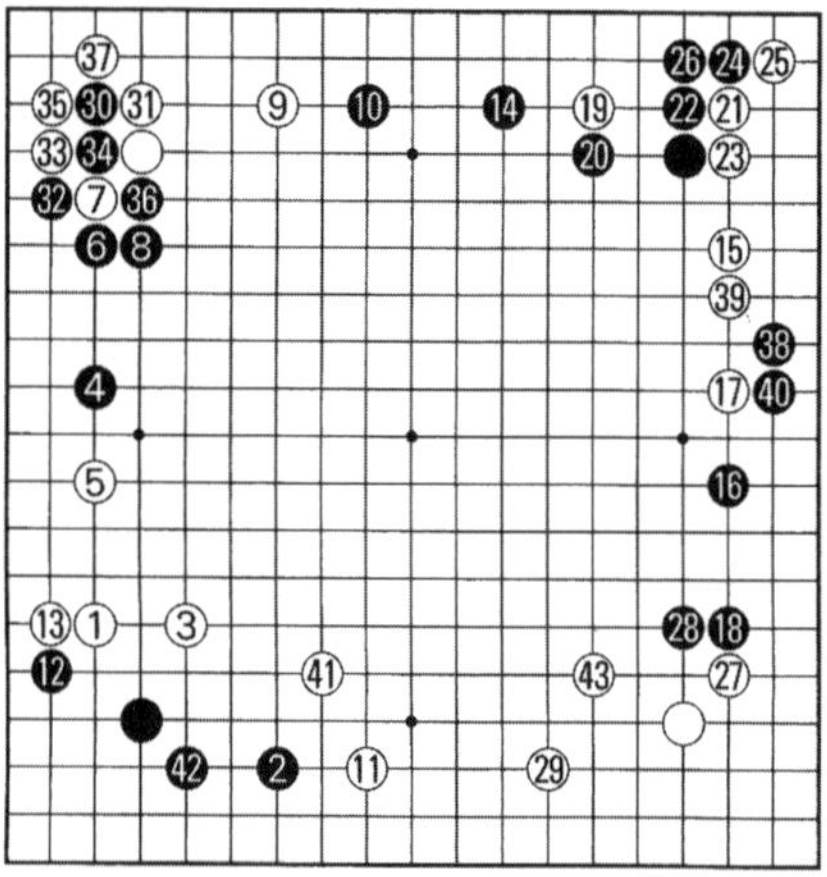

孫策と呂範の対局棋譜（43手まで）
参考：安永一『中国の碁』時事通信社

国時代（220年～280年）、呉《ご》の孫権《そんけん》の兄・孫策《そんさく》とその家臣・呂範《りょはん》との対局の棋譜といわれています。これは中国最古の碁の本『忘憂清楽集《ぼうゆうせいらくしゅう》』に掲載されています。

この棋譜では、黒2個、白2個を互いに対角線の星《ほし》（碁盤の外側から数えて4番目の線上にある交点。碁盤上の星と中央の「天元《てんげん》」と呼ばれる交点に黒い点が打ってある）に置き合ってから白から打ち始めています。残念ですがこの棋譜には43手までの記載しかなく、どういう展開になったのかどちらが勝ったのかはわかりません。

ちなみに、日本最古の棋譜については、建長《けんちょう》5年（1253年）の日蓮と弟子の吉祥丸《きっしょうまる》（後の日朗）の対局といわれています。これは1829年の『古棋』に掲載されていますが、真偽には議論があります。

中国のそろばん

少し話がそれましたが、アバカスは中国に伝わり、やがて日本へも流入し、今の私たちの使うそろばんへ進化していきました。この歴史をもう少したどっておきましょう。

中国にそろばんが伝わる前は、紐《ひも》の結び目を使った計算方式や、算木を使用した籌算《ちゅうさん》と呼ばれる独自の計算方式があったようです（二階源市『新定珠算教授ノ実際』培風館）。これらは紐や竹の棒、木の棒で計算していたものであり、桁を次々に増やせる利点はありますが、珠の形ではありません。

珠の形になったのは2世紀ごろのことと考えられます。『数術記遺《すうじゅつきい》』（2世紀ごろ編纂《へんさん》され、6世紀ごろ注釈が入り完成した）という書籍に「珠算」の言葉があるからです。

現代の中国のそろばんは、高さは約20センチメートルで、幅はさまざまです。軸は7本以上が一般的です。

各軸には、梁《はり》を挟んで上側に2つ、下側に5つの珠が通されていて、10進法と16進法の計算が可能です。珠は多くの場合、木製で丸い形状で、珠を軸に沿って上か下に動かすことで計算します。

梁側に置かれた珠は数え、枠側に置かれた珠は数えません。梁を上下から指で挟んでその指を水平に動かすと、梁側に寄せられていた珠もすべて梁から離れ、値がリセットされます。

このようにいくつか異なる点はあるものの、

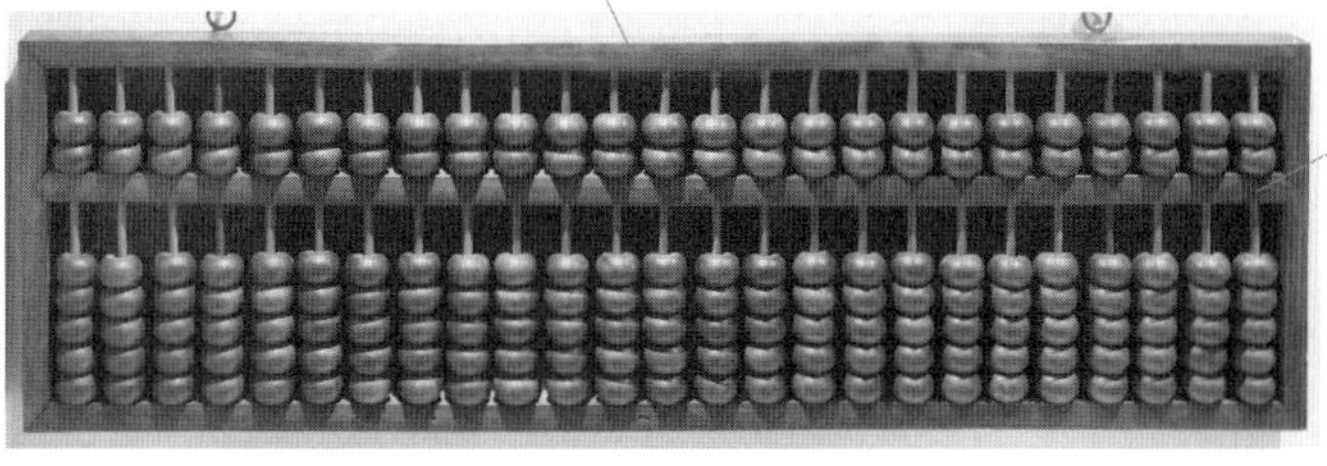

中国のそろばん
提供：Album/Prisma/ 共同通信イメージズ

日本のそろばんと基本的な構造や使い方はよく似ています。

日本のそろばん

日本語の「そろばん」は、「算盤」の中国読み「スワンパン」が変化したといわれています。

中国から日本に伝わったのは、いつごろでしょうか。16世紀にまとめられた『日本風土記』によれば、このころの日本で「そおはん」（そろばんのこと）が使用されていたと記されています。

現存する日本最古のそろばんは、戦国時代の武将・前田利家《としいえ》が所有し陣中で使ったといわれているもので、尊経閣《そんけいかく》文庫（前田家所蔵の古書籍、古文書、美術品などを収蔵・管理している施設）に保存されています。つまり少なくとも16世紀までには日本に伝わっていたと考えられます。

このそろばんは、上段の珠（五玉《ごだま》）が2つ・下段の珠（一玉《いちだま》）が5つで、縦7センチメートル、横13センチメートルの小型なものでした。珠を貫く縦の棒（桁）は銅線で、珠は獣骨でできていました。現在日本で使用されているそろばんは、五玉が1つ・一玉が4つですから、1つずつ多くなっています。これは先ほど見た中国式のそろばんで、日本でも明治時代までこのタイプのそろばんが使用されていました。

そろばんが広く庶民にまで広まったのは、豊臣秀吉に仕えた毛利重能《もうりしげよし》が明《みん》に留学したのち、京都で開塾し、そろばんを教授するようになってからだといわれています。大坂の陣で豊臣家が滅亡したため、彼は浪人し江戸に行って算術を教えました。弟子に吉田光由《みつよし》・今村知商《ともあき》・高原吉種《よしたね》がおり、著書に日本最古の算術書『割算書《わりざんしょ》』があります。

そろばんが盛んになったのは、江戸時代です。安定政権下で、貨幣経済が発達し、当時の教育機関・寺子屋で、そろばんも教えられていました。

吉田光由は、そろばんの計算法だけでなく数学の基礎から学べる手引書『塵劫記《じんこうき》』を刊行しました。上巻には、そろばんによる乗除計算を主として載《の》せ、以下、中巻、下巻には実用的な問題と遊戯《ゆうぎ》的な問題を取りまぜて収録しています（増補・改訂を重ねているので収録内容は変更あり）。多様な問題を収録し、読者を飽《あ》きさせない工夫が盛り込まれた、当時のそろばんの教科書として普及しました。

この『塵劫記』は何度も改版され、寛永11年（1634年）版が最も普及したといわれていますが、吉田自身が出した最後の版は寛永18年（1641年）の遺題《いだい》本『新編塵劫記』です。

遺題本とは、巻末に答えの記載のない問題が掲載されている本で、読者に考えさせる工夫が施《ほどこ》されていました。するとこの遺題に挑戦する者が、その解答と次の読者に新たな自分の遺題を加えて刊行する、リレー式の問答「遺題継承」が始まりました。この「遺題継承」は、江戸時代初期の日本の数学レベルを大きく向上させたといわれています。

19世紀後半の明治維新以降は、明治政府により、近代国家形成を図るために初等教育が義務化されました。そして義務教育課程には、日本の伝統文化である習字とそろばんの2つが導入されました。

日本では江戸時代から、寺

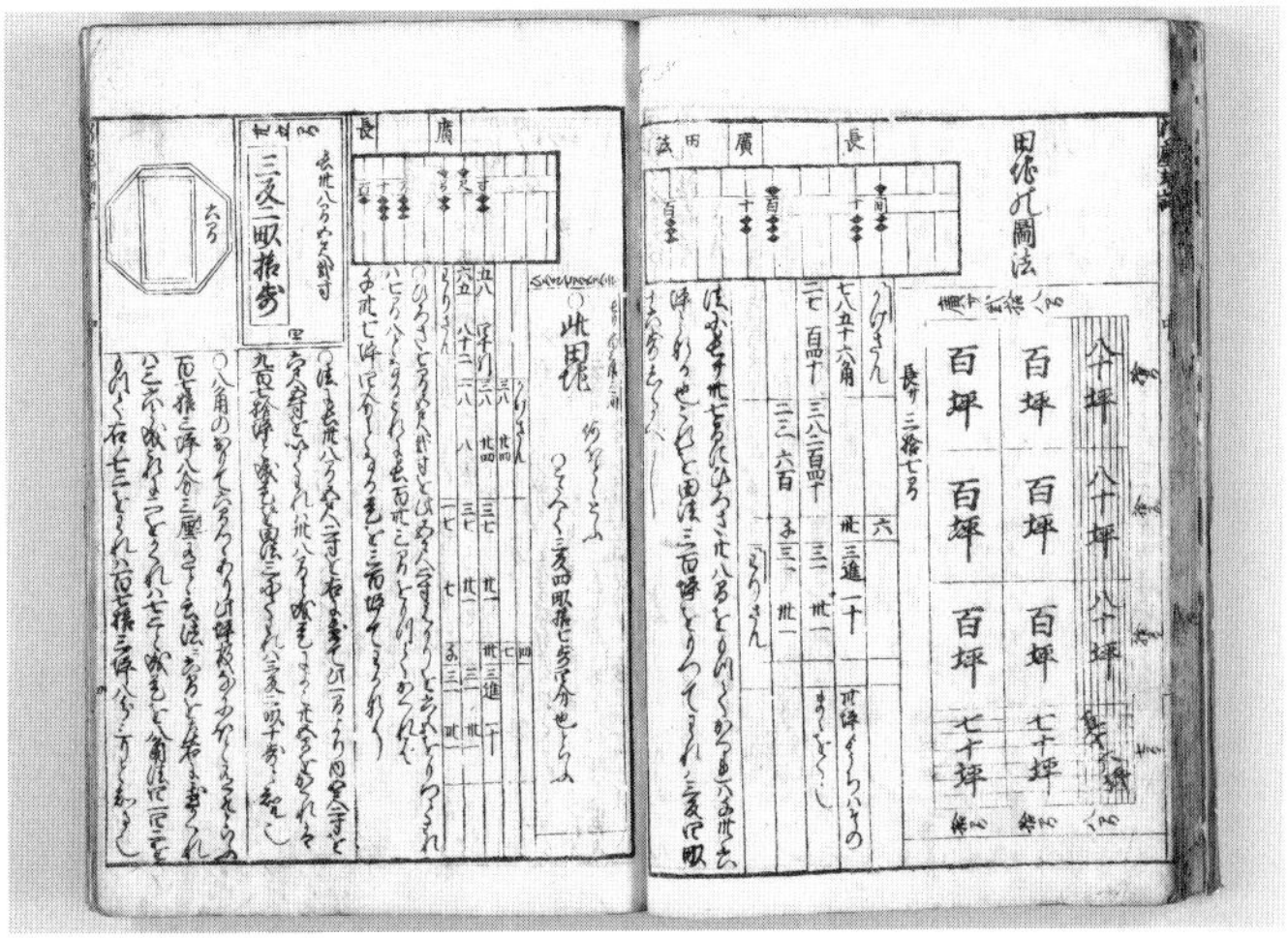

『新編塵劫記』。田畑の面積計算について書かれている部分
出典：国立国会図書館デジタルコレクション

子屋など初等教育の現場において、「読み、書き、そろばん」と呼ばれ重視されていました。

１９４５年、日本は太平洋戦争の結果、アメリカ、ソ連、中国などの連合国に対し無条件降伏しました。戦後の日本は民主主義国家を目指し、教育改革を行いましたが、このときにそろばんは義務教育課程から外されました。ただし現在でも、初等教育の中で、時間数は少ないですが、そろばんは選択科目として教えられています。

今の子どもたちは電卓やパソコンの計算ソフトなどを利用する機会のほうが多いかもしれません。しかし、そろばんで計算力や集中力、論理的思考力などが身につくとして、近年、保護者たちの間で、そろばんを習わせようという機運が高まっているそうです。

2 近代の計算機

数の表記法の違い

ここまで、主にそろばん（アバカス）の歴史を見てきました。東洋においては、そろばんが進化、発展し、今でも親しまれていますが、西洋ではそうではありませんでした。16世紀以降、東洋とは違った形の計算用具の発明がなされました。

なぜ、洋の東西で、計算機の発展および進化が異なるのでしょうか。文化・歴史的背景の違いなどさまざまな観点から考察できるでしょう。私が注目しているのは、西洋（ヨーロッパ）と東洋（日・中・韓）とでは、数の表記法が違うという点です。

10進数のアラビア数字表記（1、2、3、…）は、15世紀ごろにそれまでのローマ数字（Ⅰ、Ⅱ、Ⅲ、…）に替わってヨーロッパ社会に定着しました。

アラビア数字は、もともとインドで発明された数字体系です。その後、アラビア世界に伝わり、イスラム圏で広く使われるようになりました。ヨーロッパに伝わったのは10世紀ごろです。15世紀には印刷技術の発展により、アラビア数字が広く普及しました。

アラビア数字は、大きな数字を扱うのに適していました。例えば、今2024年ですが、アラビア数字「2024」をローマ数字と漢字で表すと次のようになります。

・2024（アラビア数字）
・MMXXⅣ（ローマ数字）
・二千二十四（漢数字）

アラビア数字の特徴は、位取り記数法とゼロ（0）による計算が可能になった点です。位取り記数法とは、同じ数字でも置かれた場所によって意味が異なるということです。２０２４の最初の2は１０００が２つという意味ですが、3番目の2は10が２つという意味になります。これにより、アラビア数字は0～9の10種類の文字だけで大きな数を表現することが可能でした。こうした特徴により、アラビア数字による計算は大きな数を扱うのに有利だったのです。

アラビア数字が普及するにともない、従来のアバカスによる計算に加えて、アラビア数字を用いた筆算《ひっさん》が普及していきます。この２つの方法により、計算技術が進化していくのです。

ネイピアの計算棒

16世紀のヨーロッパは、ルネサンスや宗教改革により社会が大きく変化していった時期にあたります。数学の分野においても進展著《いちじる》しい時代でした。例えば、私たちが日常で電卓、パソコン等でよく使う演算記号+、−、×、÷、=が生まれたのも16世紀から17世紀にかけてのことです。

一方で、アバカスに代わる新たな道具を生み出した、時代の要求に応えた数学者が出現します。イギリス

［参考］16、17世紀における数学史の出来事

1514年：オランダのフッケが、加算・減算の記号として+・−を使用
1525年：ドイツのルドルフが、平方根の記号として√を使用
1557年：イギリスのレコードが同等を表す記号として=を使用
1614年：イギリスのネイピアが、対数表を発表
1631年：イギリスのオートレッドが、掛け算の記号として×を使用
1654年：パスカルとフェルマーの往復書簡から、確率論が生まれる
1659年：スイスのラーンが、割り算の記号として÷を使用
17世紀後半：イギリスのニュートン、ドイツのライプニッツが、微分積分法を発見

の数学者、ジョン・ネイピアです。

1617年、彼は、ネイピアの計算棒（またはネイピアの骨）と呼ばれる計算用具を開発しました。掛け算、割り算のほか、平方根、立方根も求められる計算機です。

ドイツのヴィルヘルム・シッカートがこのネイピアの計算棒にダイアル歯車等を付け、機械式の計算機を開発しました。

ネイピアは「対数」を発見したことでも有名ですが、この対数を利用して、後年、計算尺が発明されました。計算尺は関数電卓が開発されるまで、機械設計、電気機器設計、建築構造計算等に使われました。

パスカルの計算機

シッカートの世界初の機械式計算機は、残念ながら現存していません。

現存する最古の計算機は、「人間は考える葦《あし》である」の言葉で有名なフランスの哲学者パスカルが発明したものです。

税務官吏《かんり》であったパスカルの父は、毎日膨大な数の計算に追われていました。1642年、当時19歳の青年であったパスカルはこれを見て、父の仕事の負担を軽減するため、誰にでも簡単に計算できる機械式計算機の製作を決意します。その後研究を重ねた結果、パスカルは真鍮《しんちゅう》や銅で作った歯車・部品を組み合わせ、0~9の数字が書かれた歯車を回転させることで、足し算の繰り上がりと引き算の繰り下がりを行う機械を作りあげました。

パスカルはこのあと10年間で「パスカリーヌ」と名付けた計算機を50台程度製作します。しかし、残念ながらほとんど売れなかったようです。その理由は、この計算機は高価で、パスカル以外に修理できる人がいなかったからといわれています。

このようにパスカルは哲学者だけでなく、数学者、発明家の側面もあったのです。パスカルの機械式計算機をもとに、ドイツのライプニッツが掛け算や割り算に加え、平方根の計算もできるようにした計算機を発明するなど、進化を続けていきます。

しかし、当時はまだ技術的に量産までは難しく、商業的に生産され普及していくのは19世紀になってからのことで

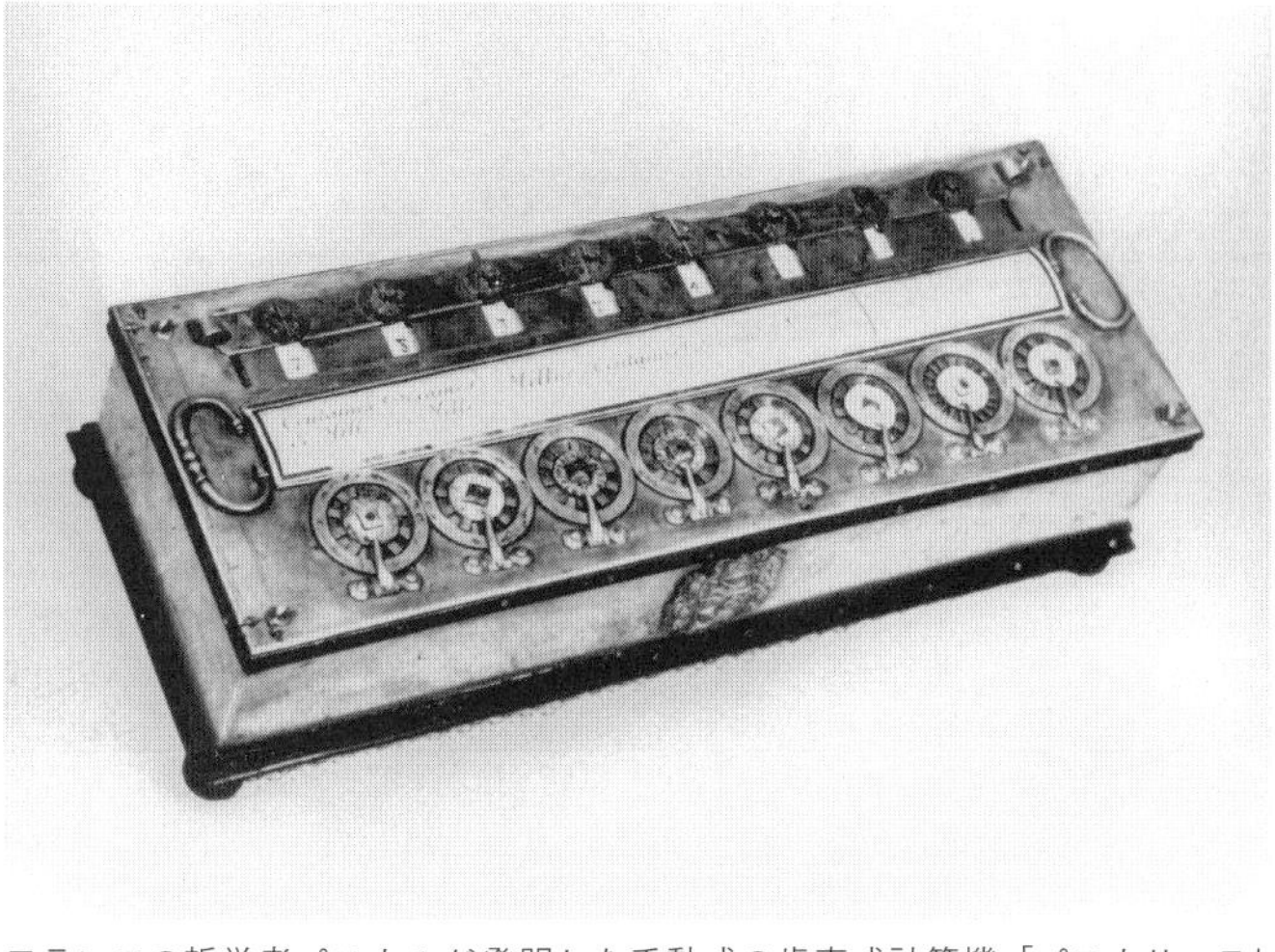

フランスの哲学者パスカルが発明した手動式の歯車式計算機「パスカリーヌ」
提供：時事通信フォト

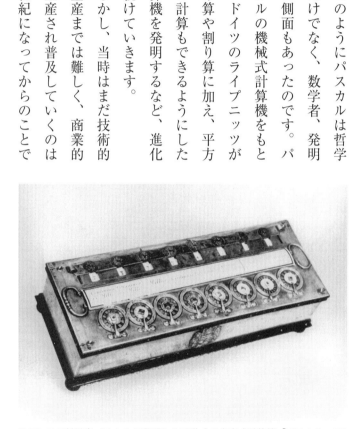

した。

タイガー計算機とその終焉

機械式計算機はヨーロッパだけでなく、日本でも登場しました。日本において最初の機械式計算機は、1902年に矢頭《やず》良一が開発した「自働算盤」と考えられており、約200台が製作され販売されたことがわかっています。8桁の四則演算が可能でした。

その後、1923年に大本寅治郎《おおもととらじろう》が手回し式の「虎印計算機」を製作します。のちに「タイガー計算機」と名称を変え、1970年まで製造販売されました。

タイガー計算機も最終的には、手で回す代わりに、電動モーターで動かす電動式計算機となりました。しかしそうした機械式の計算機は、のちに登場する電卓（電子式卓上計算機）との競争に敗れ、商品としての寿命を終えました。

計算機の歴史を概観《がいかん》したとき、私は、TTS理論に合致した古代の計算機から、この機械式計算機までが、1つの大きな流れであるととらえています。もう1つの大きな流れが、電卓以降の電子計算機の流れで、機械式計算機までとは大きく異なる仕組みと考え方で動くものです。これがコンピューター、そしてAIへと発展していくことになります。

電子計算機を生んだ記号論理学

機械的機構ではなく電子回路を用いて計算をする方法が考案されたのは、20世紀以降のことです。

この電子計算機の開発に大きな影響を与えたものが2つあります。1

つが記号論理学という学問、もう1つが電気リレーという装置です。

記号論理学の生みの親は、17世紀の数学者ライプニッツです。彼は、さまざまな学問を体系化・記号化しようと試《こころ》みました。論理学も同様に記号化できないかと考え、その夢は19世紀に現実のものとなりました。

ライプニッツ
提供：Album / quintlox / 共同通信イメージズ

記号論理学は、それまでの論理学と大きく異なり、数学における数式のように記号を用いて記述した「論理式」を用いるのが特徴です。この記号化によって、論理学を数学的な方法で研究することが可能になりました。そのため記号論理学は「数理論理学」とも呼ばれます。

記号論理学における重要な理論が、今日《こんにち》「ブール代数」と呼ばれるものです。イギリスの数学者ジョージ・ブールが、１８５４年に著書『論理と確率の数学的な理論の基礎となる思考法則の研究』で提案しました。これを受け、ゴットロープ・フレーゲによる『概念記法』（１８７９年）、ジュゼッペ・ペアノの『論理の記法』（１８９４年）などの研究が行われ、記号論理学の体系化が進みます。ほかにも、オーガスタス・ド・モルガンの１８４７年の著

ジョージ・ブール
提供：World History Archive / ニューズコム / 共同通信イメージズ

作『形式論理学』など、多くの研究者が記号論理学の発展に貢献しました。

ブール代数は、真偽値《しんぎち》（0と1）の演算を扱うもので、電気計算機のデジタル回路設計に広く応用されています。また、記号論理学の記号体系は、プログラミング言語の開発にも大きな影響を与えました。現代のプログラミング言語は、記号論理学の理論に基づいて設計されており、論理的な条件分岐や繰り返し処理などを表現することができます。

記号化の基本的な考え方

記号論理学の基本的な考え方を確認しておきましょう。記号論理学において基礎となる論理体系は、「命題論理」と「述語論理」です。それぞれ論理的な思考を形式的に表現するものですが、計算機やコンピューターの分野で重要なものは命題論理のほうです。

命題論理は、どのように論理を記号化し表示するのでしょうか。まず「命題」とは、真偽が明確に判定できる文章や表現を指します。命題論理は、命題の内容には立ち入らないで、その真偽のみに注目し構築されます。例えば、「太陽は東から昇る」は真で、「人間は不死である」は偽であるといった客観的事実に基づいて決定されます。

このように、それ自体で真偽の判定ができる完結した命題を「原子命題」と呼びます。これ以上分解できない単純な命題にして、記号（命題変数）で表現します。それらを「論理結合子（論理演算子とも）」と呼ばれる記号でつなぎ合わせて（複合命題）、1つのまとまった主張を組み立てていくために重要な概念が原子命題です。

抽象的に述べてもわかりにくいので、例をもとに説明しましょう。次の3つの命題（原子命題）があるとします。

「箱Aの中にボールが入っている」
「箱Bの中にボールが入っている」
「箱Cの中にボールが入っている」

これらをそれぞれ、a、b、cで表すことにします。原子命題は真（True）か偽（False）の2つの状態（真偽値、ブール値とも呼ぶ）のみをとるものとして扱います。この例の場合は、ボールが入っている（真）か、入っていない（偽）かです。

そして、論理結合子を導入します。結合子は、「∧」（論理積）、「∨」（論理和）、「¬」（否定）、

論理結合子	使い方	意　味
論理積　∧	P∧Q	PかつQ
論理和　∨	P∨Q	PまたはQ
否定　¬	¬P	Pでない
含意　→	P→Q	PならばQ
同値　↔	P↔Q	PはQと同値である

「→」（含意）、「↔」（同値）といった記号です。これらの記号はそれぞれ、「かつ」、「または」、「でない」、「ならば」、「と同値である」という意味を持ちます。

例えば、「箱Aの中にボールが入っていて、かつ、箱Bの中にボールが入っている」という命題は、a∧bと表現できます。

命題論理を計算機に応用

このように、原子命題を論理結合子で結んでできるものが、命題論理の論理式です。例えば、「a∧b→(¬c)」と記述した場合は、「箱AにもBにもボールが入っていれば、箱Cには入っていない」ということを表しています。

「(¬a)→(b∨c)」の場合は、「箱Aにボールが入っていなければ、

箱Bか箱Cのいずれかにボールが入っている」ということを表していま
す。また、2つ以上の条件を組み合わせて、表現することもできます。
このように条件をいくつか設定して、それらを満たすようなa、b、cの真偽の指定の仕方（つまりボールの入れ方）がどうなるかという問題を作ることができます。これは「充足問題」という論理学における重要な考え方の典型的な例です。充足問題は、さまざまな分野で応用され、研究されています。

こうした記号論理学、命題論理の考え方を応用することで、電子計算機は計算を行っています。計算の処理方法を論理記号で表し、プログラム化します。そして入力された電気信号をプログラムに基づいて処理し、結果を電気信号で出力しているのです。

命題は電気リレーに置き換えできます（真の命題は電気リレーON＝1という電気信号に、偽の命題はリレーOFF＝0という電気信号にする）。論理結合子に対応した電子回路を構築すれば、計算可能になります。

ただし電気機械式計算機で扱われる数は、普段私たちが使用する10進数ではなく、2進数です。そのため計算前に10進数を2進数に変換（エンコード）し、計算結果を求めます。その結果を10進数に変換（デコード）して出力します。

世界で初めて電気機械式計算機を開発したのは、アメリカの研究者ジョージ・ロバート・スティビッツです。デジタルコンピューターの父とも呼ばれ、コンピューター研究開発のパイオニアの1人です。

スティビッツは、ベル研究所に勤務し、1930年代から1940年代にかけて有接点リレー（電磁力を利用して接点を開閉することで、電気信号を機械的に制御するスイッチ）を使い、ブール代数の考えを用いて電気で計算する論理デジタル回路を開発しました。

この計算機は10進数を2進数に変換し符号化するプログラム方式が用

いられました。しかし、大型化と計算時間の課題がありました。

このリレーの有接点回路を無接点回路に置き換えることで、小型化・高速化が可能となり、電子計算機が普及することになります。次で電子計算機の概要と進化について説明します。

3 現代の計算機

真空管式電子計算機

1879年、アメリカの発明王トーマス・エジソンは白熱電球のフィラメント（細い糸状の部品で、電球においては発光する部分）の材料を日本に求め、竹を用いることで開発に成功した話は有名です。この電球開発がきっかけとなって、1904年、イギリスのフレミングが2極真空管（2極管）を発明しました。

2極真空管とは、かぎりなく真空に近い状態の容器に、フィラメント（熱電子を放出する）と金属板（プレート）を入れたものです。2極管は交流電気を直流電気に変換する作用があります。これを整流作用といいます。

その後、ラジオの父と呼ばれるアメリカ人のド・フォレストの研究によって、現在の真空管と同様の増幅作用を持つ3極管に改良されました。詳しい原理の説明は省《はぶ》きますが、真空管は、電気的にオン・オフを制御できるスイッチとして作用します。このスイッチ現象を利用し、スティビッツの有接点リレーに替わって、論理回路を形成することができ、真空管式のコンピューターを作ることが可能になったのです。

真空管のほうがスイッチ切り替えを速くでき、消費する電力も少なくてすみました。とはいえ、それでも実用的な計算機を作るためには、現在よりはるかに大型で大量の電力が必要で、開発には多大なコストがかかりました。

手動で操作する機械式の計算機から、電気リレーを利用した電気機械式計算機になり、真空管を使った計算機へ——こうして計算機能は飛躍的に向上していきました。この真空管によって、コンピューター時代の幕が開くのです。

コンピューターの黎明期《れいめいき》に登場したのが、ＥＮＩＡＣ《エニアック》です。

軍事目的に開発されたＥＮＩＡＣ

１９４６年、世界初とされる電子計算機、ＥＮＩＡＣが開発されました。一般に、これ以降の計算機がコンピューターと呼ばれます。

その開発は第2次世界大戦中に行われ、設計と製作の資金はアメリカ陸軍が支出しました。1943年6月5日に陸軍との間で契約が結ばれ、ペンシルベニア大学電気工学科のJ・P・エッカートとJ・W・モークリーの共同設計によって〝Project PX〟の名で秘密裏に設計が開始されました。

約1万8000本の真空管と1500個のリレーを使用

世界初の汎用コンピューター「ENIAC」
提供：dpa/時事通信フォト

し、重さは30トンの超大型の機械でした。1秒間に約5000回の加算をすることができました。

一般的にはこのENIACが最初のコンピューターとされていますが、実際にはABC（1942年）やイギリスのコロッサス（Colossus）（1943年）といった電子計算機がすでに作られていました。

ABCはアイオワ州立大学のアタナソフとベリーによって作られ、「アタナソフとベリーのコンピューター」の頭文字をとって、ABCと名付けられました。コロッサスは敵軍の暗号解読の目的で使われていたためその開発は機密にされ、公表されませんでした。

ENIACの開発目的は、アメリカ陸軍の弾道研究所での砲撃射表《ほうげきしゃひょう》の計算だったといわれています。弾道研究所は、発射されたロケットや砲弾等の物体がどのような軌道を描くかなどの理論計算をし、データを提供するシンクタンクです。コンピューターの開発を促進したのは、軍事上の目的からだったのです。

時代を変えた半導体

しかし真空管式の計算機の欠点は、物理的に大きく、大量に電力を消費し、真空管自体も壊《こわ》れやすいといった点でした。これを解決したのが、トランジスタです。

トランジスタは半導体の性質を利用して作られており、電気の増幅作用やオン・オフのスイッチング作用が主な役割です。つまり真空管と同じ機能を持っており、その代わりになるのですが、右の欠点を克服していました。

物質は、電気を通す導体と、通さない不導体（絶縁体）に分けられます。導体の例は金属類、不導体の例はゴムやガラスなどです。半導体とは、導体と不導体の中間の性質を持つもので、シリコンやゲルマニウムが素材になります。あるいは半導体を使用したトランジスタ、ダイオード（整流素子）や、ＩＣ（集積回路）などを総称して半導体と呼ぶこともあります。

少し話が脇道にそれますが、公共ラジオ放送が始まったのが１９２０年代、そこからテレビが普及する１９６０年代くらいまでは、ラジオ受信機が主役の時代でした。なかには、鉱石ラジオやゲルマニウムラジオというものもありました。これは電波を音声信号に変換する（検波する）回路に鉱石やゲルマニウムダイオードを利用したものです。鉱石ラジオやゲルマニウムラジオは、電池などの電源を必要とせず、電波のエネルギーだけで音声を聞くことができました。

とはいえ電波のエネルギーだけでは音が小さいので、電波を増幅する回路を入れた真空管ラジオが登場します。そして真空管がより性能の高いトランジスタに置き換わることで、ラジオは省電力と小型化、低価格化を達成することができ、普及していきました。これと同じようなことが、コンピューターのジャンルでも起きたのです。

半導体とは何か

先ほど「半導体とは導体と不導体の中間の性質を持ちます」と書きましたが、より正確にいうと、半導体とは、導体にも不導体にもなりうる素材のことを指します。じつは真性半導体（不純物を含まない半導体）の場合、電気をほとんど通しません。ところがこれに少量の不純物を加えると、電気を通すようになるのです。

1940年代、半導体の研究が始まり、真性半導体に不純物を注入する試みが行われます。アメリカのベル研究所で、ウィリアム・ショックレー、ジョン・バーディーン、ウォルター・ブラッテンの3人がトランジスタの開発に成功しました。3人はこの功績により1956年にノーベル物理学賞を受賞しています。

トランジスタやダイオードは、少量の不純物を加えた2種類の半導体を組み合わせて使っています。半導体の素材として一般的なものはシリコンですが、純度を高めたシリコン（真性半導体）に、リンやヒ素を加えて作るのがN型半導体。そしてホウ素やアルミニウムなどを加えて作るのがP型半導体です。

PとNを2つ組み合わせて作るのがダイオードで、電気の流れを整えたり、電圧を一定にしたり、論理回路などを構成したりできます。トランジスタの場合は、P型半導体をN型半導体で挟むNPNトランジスタと、逆のPNPトランジスタが主な構成です。

こうした半導体素子は、その後、集積度を高めた半導体チップとなって、今やコンピューターのみならず、テレビやカメラ、自動車などあらゆるデバイスに用いられているのです。

コンピューターの構成

初期のコンピューター・ＥＮＩＡＣが、それ以前の計算機に比べ優れていた点は、計算速度だけではありません。あらかじめ設定した計算しかできない特化型の計算機ではなく、プログラムを変更することで異なる計算もできる、汎用《はんよう》型の計算機だったのです。ただし、プログラムの異なる計算をするために、そのつど演算回路の端子の配線を人間が手直しして、処理を実行していく必要があったため、結局、プログラムの変更に長い時間を要しました。

１９５０年、この問題解決に画期的な提案を行ったのが、アメリカ・

プリンストン高等研究所のジョン・フォン・ノイマンでした。彼は符号（コード）化した計算手順を計算機の記憶装置に格納《かくのう》させました。いちいち配線を変える手間を省いて、あらかじめプログラムを内蔵しておく方式を提唱したのです。この方式を採用したコンピューターは、ノイマン型コンピューターと呼ばれ、現在のコンピューターの基本構成となっています。

以降、コンピューターはハード（機械）とソフト（プログラム）がそれぞれに進化し、発展していきました。

コンピューターの基本構成と計算プログラム

現代のコンピューターの基本的な構成・機能について確認しておきましょう。

コンピューターは、入力、記憶、演算、制御、出力の5つの機能・装置に分けることができます。これらをコンピューターの五大機能（五大装置）と呼びます。

入力装置にあたるのが、キーボードやマウス、カメラなどです。

記憶装置とは、データやプログラムを記憶する装置です。

演算装置とは、四則演算などの算術演算や比較演算、論理積や論理和などの論理演算等を行う装置です。

五大機能のイメージ図

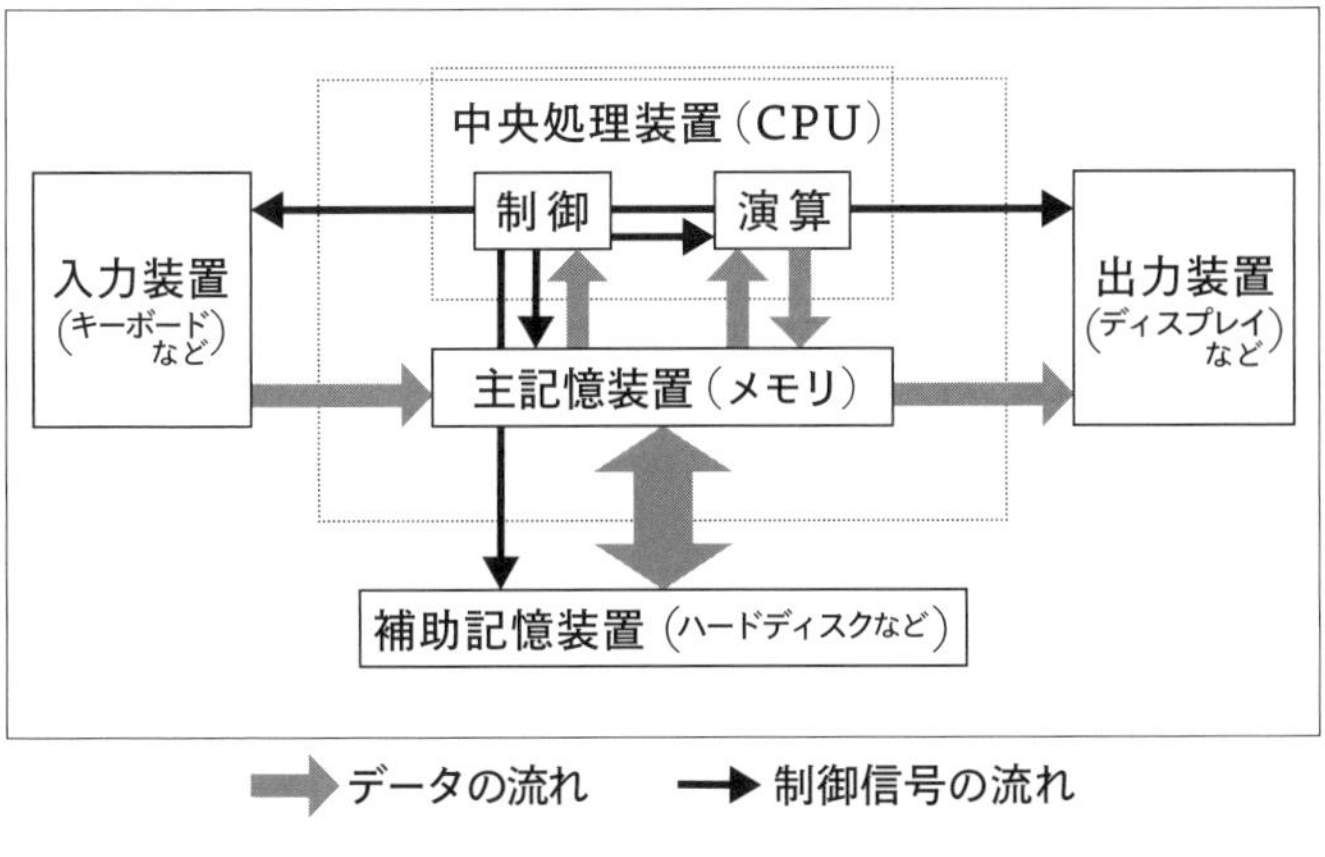

FUJITSU ファミリ会「コンピュータ基礎講座」をもとに作成

制御装置とは、主記憶装置にある命令を取り出して解読し、処理に必要な指示や命令を他の装置に与え制御を行う装置です。

出力装置とは、コンピューターの記憶装置などに記憶されているデータを外部に送り出す装置です。プリンターや表示装置（ディスプレイなど）といった装置があります。

コンピューターは人間の言葉を理解しません。コンピューターに命令するための言語をプログラム言語といいます。

現在プログラム言語は多数ありますが、例えばゲーム制作等によく使われる言語はC＃、Javascript, Unity などです。ウェブアプリやＡＩの開発でよく使われるのはパイソン（Python）、Ｒ言語、Julia などです。こうしたプログラミング言語を習得すれば、誰でもプログラミングはできます。

加速するコンピューターの発展

コンピューターの進化は、ハード面に注目すると、その中心的技術によって以下のように区切ることができます。

第1世代（1950年代）　真空管
第2世代（1960年代前半）　トランジスタ
第3世代（1960年代後半）　IC（集積回路）
第3・5世代（1970年代）　LSI（大規模集積回路）
第4世代（1980年代以降）　VLSI（超大規模集積回路）
（参考：鳥居鉱太郎「利用形態に基づくコンピュータの世代分類法」）

第2世代、トランジスタの誕生まではすでに言及しましたが、先に進む前に、第1世代のコンピューターの中で、世界で初めて量産された商用コンピューターに触れておきたいと思います。1951年にアメリカのレミントン・ランド社（現・ユニシス社）が発売した、UNIVAC－1です。ここからコンピューター産業が本格的に始まります。UNIVAC－1は、ENIACを作ったモークリーとエッカートによって開発されたものです。

それから2年遅れて、IBM社がコンピューター事業に進出します。第2世代コンピューターは、主要素子を真空管からトランジスタに替えて作られましたが、この世代を代表する製品の1つが、IBM社の7070です。

第2世代では、トランジスタの使用により、高性能の大型計算機が出現しました。この時代のコンピューターの特徴は、トランジスタ使用のほか、記憶装置に磁気《じき》コアが使用され、記憶容量、処理速度ともに高まるといった進展が見られました。

また、日本がコンピューター産業に参入を始めたのはこのころです。日本では当時、国鉄（現・JR）のみどりの窓口、八幡製鉄（現・日本製鉄）の在庫管理システムに第2世代コンピューターを導入。日本政府はIBMのコンピューターを導入しつつ、国内電機産業に電算機の開発研究を急がせました。

第3世代は、IBMが、世界で初めてICを本格的に採用した、IBMシステム／360を発表した時代です。IBMシステム／360はコンピューター史を画するもので、IBMによる市場支配を決定付けるものとなりました。

第3・5世代では、インテル社が演算回路・制御回路を1チップに集積したマイクロプロセッサを開発し、コンピューターの小型化・高性能化が進みました。

エッチング加工などの新しい製法により、微小なマイクロチップ上に多くのプロセッサを集積することが可能になり、複雑な基盤製作技術が確立していきました。

1970年代後半には、パーソナルコンピューター（パソコン）が、80年代に入ってワークステーションが相次いで出現し、コンピューターは個人使用の時代を迎えます。一方でクレイ・リサーチ社に

従来製品に比べ大幅に性能向上を図った汎用コンピューターシステム／360シリーズ。写真はモデル20で、中小企業向けの最小型機として追加された
提供：時事通信フォト

より、演算処理の高速化に特化したスーパーコンピューターも開発されました。

第4世代に入ってICの集積度がさらに上がると、小型・パーソナル化がいっそう進みます。このころから市場の支配はIBMなどハードウェア・メーカーから、マイクロソフトなどのソフトウェア・メーカーへと主導権が移っていきます。

第5世代コンピューターを求めて

1980年代、日本は「第5世代コンピューター開発計画」と呼ばれる国家プロジェクトを実施しました。これは、通商産業省（現・経済産業省）所管の新世代コンピュータ技術開発機構（ICOT）が推進し、1982年から1992年までの10年間行われました。

プロジェクトの目標は、知的推論機能や並列処理など、従来とは異なる次世代コンピューター技術の実現でした。総額540億円の国家予算が投入され、非ノイマン型計算ハードウェア、知識情報処理ソフトウェア、並行論理プログラミング言語の3つの技術分野を中心に研究開発が進められました。

しかし、プロジェクトは当初の目標を達成することはできず、実用的なアプリケーションの開発までには至りませんでした。成果に対しては賛否両論がありますが、実用化段階まで進められなかったという点で、否定的に評価されることが多いようです。

量子コンピューターの可能性

ここまで見てきた世代の分類は、ハードウェアを中心に見たときに、その使用された技術や論理素子の変遷《へんせん》で区別したもので、現在、第4世代以降の分類は明確に定義されていません。しかし、技術革新が止まっているわけではありません。現在注目を集めているものの1つが、量子《りょうし》コンピューターです。

量子コンピューターとは、量子力学の法則を利用してデータの保存や計算を行うコンピューターのことをいいます。従来型のコンピューターでは答えの導出に膨大な時間を要する問題でも、量子コンピューターでは短い時間で解けるようになる可能性があるため、さまざまな分野での活用が期待されています。近年は世界中でベンチャー企業が立ち上がり、IBMやグーグルといった巨大企業も研究開発を強力に進めています。

量子力学とは、電子や原子など、とても小さい単位の物理量（量子）の世界を扱う学問分野です。この量子力学をもとにしたコンピューターとは一体どういうものなのでしょうか。

今のコンピューターは、「0か1か」の「ビット」で情報を処理しています。それに対し、量子コンピューターの計算単位は「量子ビット」と呼ばれ、「0でもあり1でもある」という確率的な「重ね合わせ」を利用します。

この「0でもあり1でもある」という状態を利用して計算するのが量子コンピューターの大きな特徴です。現在のコンピューターは、0または1などの単一の2進法の値を表すことしかできません。つまり、1ビットは常に「0」か「1」のどちらかにしかなりませんが、1量子ビットは同時に「0」と「1」の両方にもなりえます。

「0でもあり1でもある」という量子の特質を利用すると、たとえば2進数で「000」から「111」までの8つの組み合わせを、「重ね合わせ」の状態をつくることで一度に計算することができます。これまでのコンピューターが8回計算しないと正解にたどり着けないのに対し、量子コンピューターは、1回の計算で正解を見つけることができるのです。

一方で量子が重ね合わせられるということは、量子の状態がまだ確定していないことを意味します。つまり、0になるか、1になるかが定まっていない状態です。

では、状態はどのように確定すればよいでしょうか。そこで利用されるのが「量子もつれ」という量子の性質です。量子もつれとは、2つのペアとなっている量

量子コンピューターの仕組み

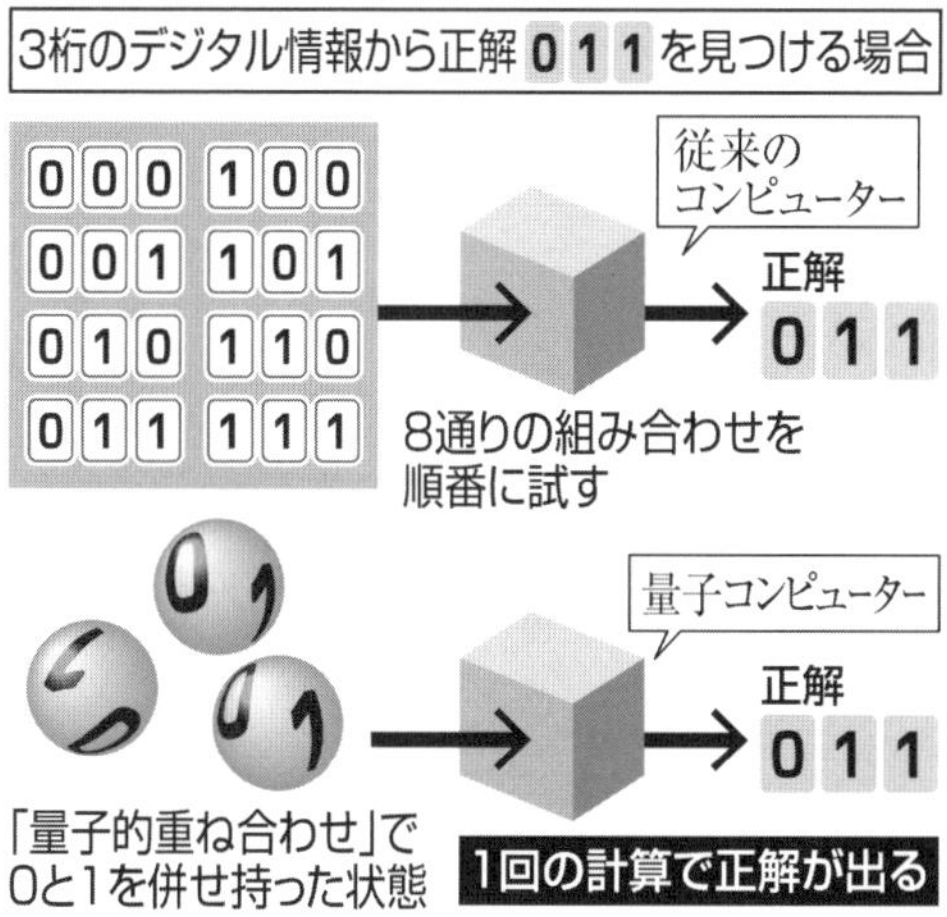

提供：共同通信

子がもつれている（連携している）状態を意味します。

量子もつれ状態にあると、たとえ遠く離れたところにあったとしても、お互いに強い連携状態になるので、例えば一方が「0」だと決定した場合、その瞬間にもう一方の状態もそれに応じて「1」に確定するという現象が起こります。

量子コンピューターはこうした性質を利用しながら、情報を送ったり処理したりできます。従来のコンピューターのビットは、ある特定のビットの状態を変えても他のビットの状態に影響しませんが、量子ビットでは、相互関係を持たせた一方の量子ビットの状態を変えると、それと連動してもう一方の量子ビットの状態も変えることができます。つまり一回の演算ステップを行うことで、同時に複数の演算を行うことができます。

こうした原理は理解が難しいのですが、つまるところ量子コンピューターは、量子力学の法則を利用することで、従来のコンピューターよりはるかに高速な情報処理を行う可能性があるということです。この分野はまだ黎明期です。今後の研究に期待したいと思います。

計算機の潮流と先読みの力

コンピューターの進展の方向には2つの潮流《ちょうりゅう》があるように思います。それは、各種の計算などデータ処理を迅速に行う1つの流れと、もう1つは、計算機械に人間と同じような人工頭脳を働かせ、事象の推測や推定を行うコンピューターの流れです。

高速なデータ処理を追求した結果、2つめの潮流である事象の推測や推定が可能になってきた、という見方も可能でしょう。いずれにしても、ここまでのプログラムなどソフト面の進化、さらにコンピューターの計算速度、記憶容量の増加といったハード面の進化は、目を見張るものがありました。

さて、2つめの流れにある推測、推定は、やさしく言い換えれば、先読みともいえます。私たちの日常生活では経済が大きなウェイトを占めていますが、家計であれ、会社の会計であれ、国の国家予算であれ、さまざまな次元における経済活動は、収入・支出のデータを見て状況を判断できます。

しかし、例えば5年先の経済がどうなっているかについては、データを読む側の先見の明・先読みの力量が試されます。とりわけ経営者や政治家など、リーダー的立場にある人にとって、先読みの力を磨くことは大切なことでしょう。

私はそうした力を育《はぐく》むために、囲碁をはじめとした「二人零《ゼロ》和有限確定完全情報ゲーム」(2人で行い、勝ち負けがあり、お互いがすべての情報を知りながら行うゲーム）が必要とされたのではないかと常々考えていました。世界的にはチェスや囲碁、東洋では将棋《しょうぎ》などが「二人零和有限確定完全情報ゲーム」の代表例です。

ＡＩが１９９０年代にチェス名人に挑戦し、２０００年代には将棋、囲碁名人に挑戦してきたのは、ＡＩの力量を示すのに絶好の機会でした。それらの名人を倒すことで、わかりやすくＡＩの能力を世界にアピールすることにつながったからです。

そして、注目を集め、進化を続けるＡＩが、今や私たちの日常生活に大きな影響を与える時代になりつつあります。

第２章

ＡＩの誕生と発展

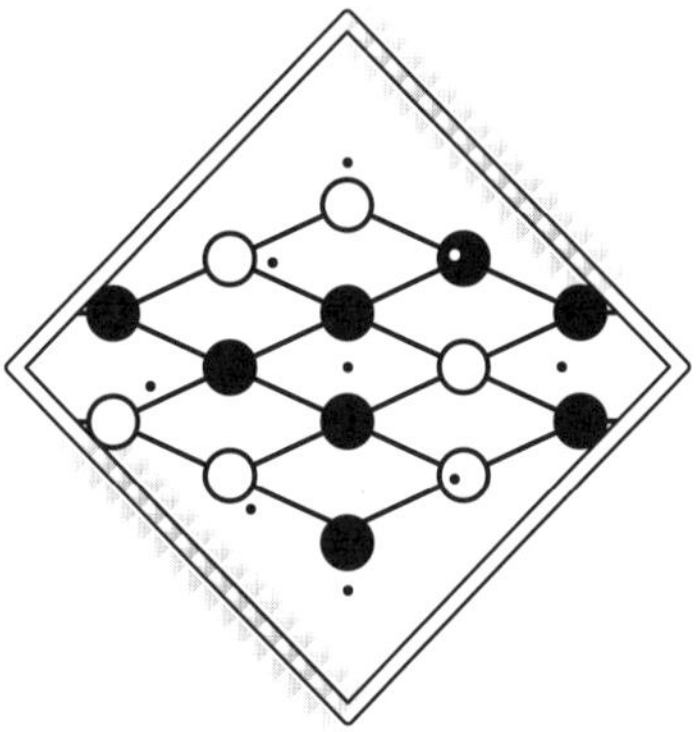

1 AIの黎明期

私が感じたアルファ碁の衝撃

アジア平和子ども囲碁大会の打ち合わせで、私が訪韓したのは、2016年3月17日でした。インチョン空港からソウル市内へ向かい、そこで面談予定の明知《ミョンジ》大学囲碁学科の講師とお会いしました。

私は、囲碁AIプログラム・アルファ碁と韓国棋院イ・セドル棋士の対局がすでに3局目であることを知りませんでした。彼女との会食のとき、アルファ碁が勝ち、通算3連勝したと聞かされました。

そのニュースがソウル発で世界中に報道されていました。ソウル市内も大変な騒《さわ》ぎで、そのニュースが巷《ちまた》で飛び交っている、とのこと。私はそのことを講師に伺って、「まさか、まさか……」とつぶやいたきり、声も出ませんでした。

将棋《しょうぎ》はその4年前、2012年に元名人の米長邦雄《よねながくにお》・永世棋聖がコンピューター将棋ソフト「ボンクラーズ」に敗れていました。翌2013年には、現役プロ棋士に初めてコンピューターが勝ちました。それでも、囲碁のほうは、当時の囲碁ソフトはまだアマチュアの5、6段相当との評価で、コンピューターがプロの囲碁棋士に勝つのは少なくともあと50年はかかるだろうといわれていました。当時の囲碁ソフトは、モンテカルロ法を採用していました。

しかし、50年どころかわずか数年で囲碁においても人間がコンピューターに負けたのです。私はショックでした。このアルファ碁に採用されたのが人工知能に学習させる技術であるディープラーニングという仕組みでした。私はコンピューター囲碁の情報技術の革新を知り、強い興味を持ちました。

　囲碁の盤面は19×19マスで、将棋やチェスよりも広大です。無限に近い打ち手の選択肢がある囲碁の1手を、囲碁ＡＩはどうやって発見し、プロ棋士に勝ち切れるのでしょうか。

　アルファ碁はその後も進化し、中国の最強棋士・柯潔《かけつ》との3番勝負に挑戦します。柯潔は3連敗を喫《きっ》しました。世界の囲碁界にとって大事件でした。これをきっかけに私は、

スクリーンに投影されたアルファ碁とイ・セドルの対局の様子（2016年3月9日、韓国・ソウル）
提供：Avalon/時事通信フォト

ＡＩ囲碁の本質を知るべく、ＡＩの研究を始めました。

ダートマス会議

アルファ碁の驚異的な強さの根幹をなすディープラーニングという技術は、機械学習の一種で、人間の脳神経回路を模倣《もほう》した技術です。従来と異なり、大量のデータから自動的に学習し、高度な判断や予測を行うことができます。

順をおって説明していきましょう。

そもそもＡＩは、日本語で人工知能という意味ですが、厳密な定義は存在しません。ＡＩという言葉が生まれたのは、１９５６年、アメリカニューハンプシャー州のダートマスで開催されたワークショップで初めて「ＡＩ」という言葉が使われました。通称、「ダートマス会議」です

（正式名称は、「人工知能に関するダートマス夏期研究会」）。

　提案者は、ジョン・マッカーシーです。当時、ダートマス大学の助教授でした。この会議で、コンピューターに人間のように知的な情報処理をさせたいと考えた研究者たちが、ロックフェラー財団から財政的援助を受け、議論を行いました。

　主な参加者はコンピューター科学者のマービン・ミンスキー、ネイサン・ロチェスター、電気工学者クロード・シャノン、計算機科学者アーサー・サミュエル、政治学者・経営学者・情報科学者でノーベル経済学賞を取るハーバート・サイモン、認知心理学の研究者アレン・ニューウェルなどでした。

　この会議で、ジョン・マッカーシーが名付けた人工知能（Artificial Intelligence）について議論が行われ、以来、ＡＩが注目を集めることになります。

ＡＩのＡはアーティフィシャルの頭文字ですが、単語の中にアート（art、芸術）が入っています。芸術は人間がつくるものです。その意味から、神がつくったのではなく、人間がつくったもの＝人工的なという意味に転じたようです。art の反対語は nature（自然）となります。自然は神がつくったものです。人間の脳は、自然に存在するものなので、ナチュラル（natural）です。それに対する人間がつくった人工の脳だから、ＡＩと呼ぶのです。

チューリング論文「計算機械と知能」

ダートマス会議が行われた背景に、１つの重要な論文の発表がありました。それは、アラン・チューリングが１９５０年に発表した論文「計算機械と知能（Computing Machinery and Intelligence）」です。チューリングは、現代コンピューターの父と呼ばれるイギリスの数学者です。この論文は、以下の7つの項目から構成されています。

1 模倣ゲーム（The Imitation Game）
2 新しい問題への批判（Critique of the New Problem）
3 ゲームに関係した機械（The Machines Concerned in the Game）
4 デジタル計算機（Digital Computers）
5 デジタル計算機の万能性（Universality of Digital Computers）
6 主要な問いに対する反対意見（Contrary Views on the Main Question）
7 学習機械（Learning Machines）

チューリングは、この論文の冒頭で「機械は考えることができるか？」との問いを掲げています。彼はこの問題を、「模倣ゲーム」という設定を用いて証明しようとしました。「チューリングテスト」とも呼ばれますが、これは、人間と機械とがやりとりを行ったときに、相手が人間か機械かを区別できない場合、その機械は知性を持っているとみなすというものです。

それまで「計算する」役割しかなかった機械に、人間と同じような「考える」ことはできないか。この発想と考察が、のちの人工知能研究の発展に大きな影響を与え続け、チューリングの論文は今日でも重要な議論の基盤となっているのです。

チューリングは論文で、「今世紀の終わりには言葉の使用法や教養のある人の一般的な意見が大きく変わり、反駁《はんばく》されるという予想なしに機械の思考について議論することができるようになると信じている」（『コンピュータ理論の起源 第1巻 チューリング』近代科学社）と述べています。

論文ではこの考えに対して予想される反論意見もいくつか取り上げ、

つど考察をしています。最初に検討したのは神学的反論です。

神学は、「神はすべての男女に不滅の霊魂を与えたが、いかなる他の動物にも機械にも与えていない。それゆえ、動物や機械は考えることができない」と主張します。

チューリングは、この反論を「神はそれがふさわしいと思ったときには対象に霊魂を与える自由をもっている」と解釈し、「霊魂を創造するという神の力を不《ふ》

アラン・チューリング
提供：Heritage Images / ゲッティ / 共同通信イメージズ

遜《そん》に奪ってしまうべきではない」と反論しました。チューリングは、神の全能性を肯定したうえで、計算する機械を「神の創造した霊魂のための宿を与えるような、神の意志の道具」と定義しました。

キリスト教は、当時も現在も、欧米諸国および世界の精神的支柱の1つです。チューリングの予言が実現するためには、技術的な問題だけでなく、倫理的な問題や社会的な受容など、さまざまな課題を克服する必要があったのです。

ニューラルネットワーク

チューリングの論文発表、そしてダートマス会議の開催。1950年代当時、人間の知能を機械で再現しようとする研究分野において、人間の脳神経回路の電気信号のやりとりを模倣する試《こころ》みが行われました。この手法をニューラルネットワークといいます。脳の神経細胞（ニューロン、neuron）がもとになった言葉です。

ニューロンは下図のような構造になっており、核が存在する細胞体です。ニューロンへの情報の入力は樹状突起から、情報の出力は軸索《じくさく》から行われます。ニューロンとニューロンを結ぶ接合部分は、シナプスといいます。

人間の脳の場合、このニューロンが1000億から1000億程度あるといわれています。人間の脳の神経回路は、まるで巨大な集積回路を形成しているかのようです。

われわれの脳はどのように学習するのか――

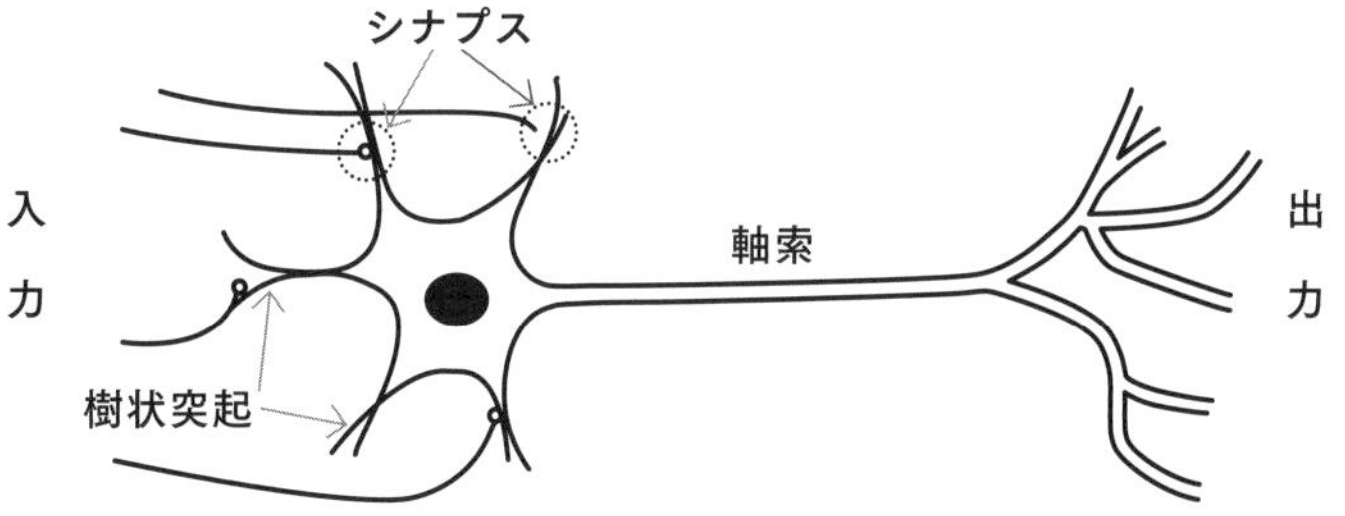

脳のニューロン

マギル大学の心理学教授ドナルド・ヘッブは、それを深く考えた一人です。

彼の業績で有名なものに、「ヘッブの法則」といわれるものがあります。これは、「ニューロン同士の伝達が繰り返されることで、そのニューロン間の結合が強まり、信号の伝達効率が変化する」というものです。脳が「学習する」仕組みとして、有力な仮説と考えられています。

1957年、コーネル大学の心理学者フランク・ローゼンブラットは、ヘッブの法則からヒントを得て、機械学習の元祖となる仕組み「パーセプトロン」を構築しました。機械学習とは、コンピューターにデータを自動的に学習させ、予測や分類などの作業を行わせる技術です。

ニューロンに似せた人工ニューロンが複合的に作用することによって、パターン認識が可能になりました。ローゼンブラットが構築したパーセプトロンがもとになり、長年のさまざまな研究の積み重ねによって、機械学習は進化していきます。

2 機械学習の歴史

パーセプトロン

パーセプトロンには、単純パーセプトロンと多層パーセプトロンがあります。単純パーセプトロンは、入力されたデータに対して、重みと閾値《いきち》を用いて線形分離を行い、1つの結果を出力するモデルです。しかし、単純な計算では表現できない複雑な問題を扱うには不十分でした。

初期の単純パーセプトロンは、活性化関数としてステップ関数を用いていました。隠れ層を含む多層パーセプトロンが研究された時代は活性化関数として、シグモイド関数のようなアナログ値を与えるものが使われるようになりました。線形分離不可能性のような単純パーセプトロンの限界を超えるキッカケとなったのは、隠れ層の存在でした。

多層パーセプトロンは、以下の3つの要素で構成されています。

入力層：データを入力する層

中間層（隠れ層）：データを処理する層

シグモイド関数は、入力の大きさに応じて、0以上1以下の値に変換する関数。最近は活性化関数としてReLU《レルー》関数が用いられることが多い。

$$h = a(u) = \frac{1}{1+\exp(-u)}$$

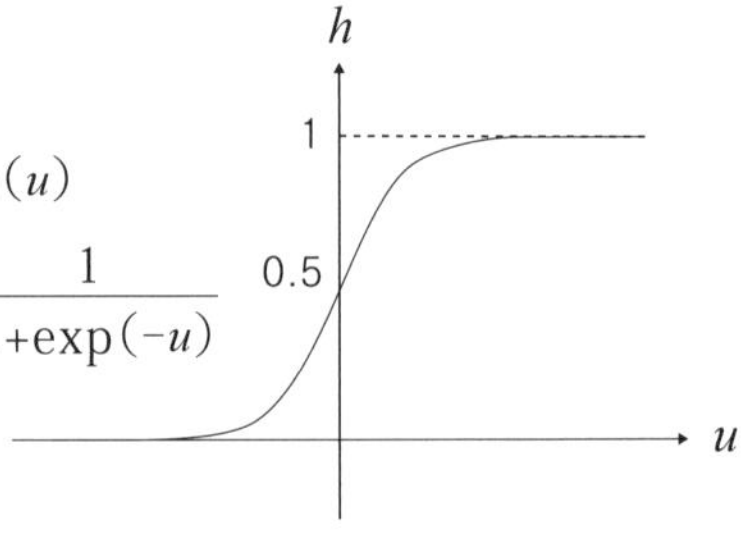

シグモイド関数

出力層：結果を出力する層

入力層に入力されたデータは、重みと呼ばれる係数によって調整されます。これは単純パーセプトロンと一緒です。そして調整されたデータは、中間層で処理されます。このとき活躍するのが活性化関数です。

こうして多層パーセプトロンのように複数の層を持つニューラルネットワークの研究が進んでいきます。これはまさに人間の脳神経回路をより忠実に模倣したモデルであり、複雑なパターン認識や予測を行うことができます。

誤差逆伝播法の登場

ニューラルネットワークの学習には、誤差逆伝播法《ごさぎゃくでんぱほう》（バックプロパゲーション）と呼ばれるアルゴリズムが重要です。
誤差逆伝播法は、ネットワークの誤差を効率的に計算し、各層の重みを調整することで、学習精度を向上させることができます。余談ですが、私の大学の卒業研究テーマは、１９７０年代の流行であった制御工学の最適制御観測法でした。誤差逆伝播法は、当時流行の制御工学からヒントを得たといわれています。

１９８６年、ジェフリー・ヒントンとテレンス・セジノウスキーは、誤差逆伝播法をニューラルネットワークに適用する方法を発表しました。これにより、ニューラルネットワークの実用性が大きく向上し、機械学習研究が大きく発展しました。

猫と犬の画像認識を例に説明しましょう。誤差逆伝播法では、まず画像を入力（画像のピクセル値）して、猫か犬かを判断します。次に、判断結果と正解との誤差を計算します。そして、その誤差を各層の重みに逆方向に伝播させて、重みを更新します。この処理を繰り返すことで、ニューラルネットワークは猫と犬をより正確に判断できるようになります。

畳み込みニューラルネットワーク

１９９０年代に、フランスの科学者ヤン・ルカンらによって、この誤差逆伝播法を用いて畳み込みニューラルネットワークと呼ばれる機械学習モデルが提案され、画像処理や音声処理などの分野で大きな成果を上げました。

ただし、当時の技術的制約や深層学習の有効性が広く認識されていなかったこともあり、畳み込みニューラルネットワークの研究は一時的に停滞します。

２０００年代以降はコンピューターの性能向上により、この課題が解消され、畳み込みニューラルネットワークをはじめとしたディープラーニング技術が発展しました。ディープラーニングは、深層学習とも呼ばれ、複数の中間層を重ねた複雑なニューラルネットワークを用いることで、画像認識、音声認識、自然言語処理など、さまざまな分野で驚異的な成果を上げています。

3　ＡＩと統計学の知見

回帰分析の基礎

機械学習の分野でよく用いられる手法が、統計学の回帰分析《かいきぶんせき》です。これは、データに基づいてある数値（結果となる数値と要因となる数値）を予測する統計的手法のことをいいます。要因となる数値を「説明変数」といい、結果となる数値を「目的変数」といいます。

説明変数が1つのときは「単回帰分析」、複数のときは「重回帰分析」といいます。

例えば、テストの成績を目的変数としたとき、生徒の勉強した時間、睡眠時間などテストの成績と関係ありそうな値を説明変数として分析することが考えられます。

目的変数をY軸に、説明変数をX軸にして、グラフが作成できます。データX_1、X_2、X_3……X_nの各変数に対応する値、

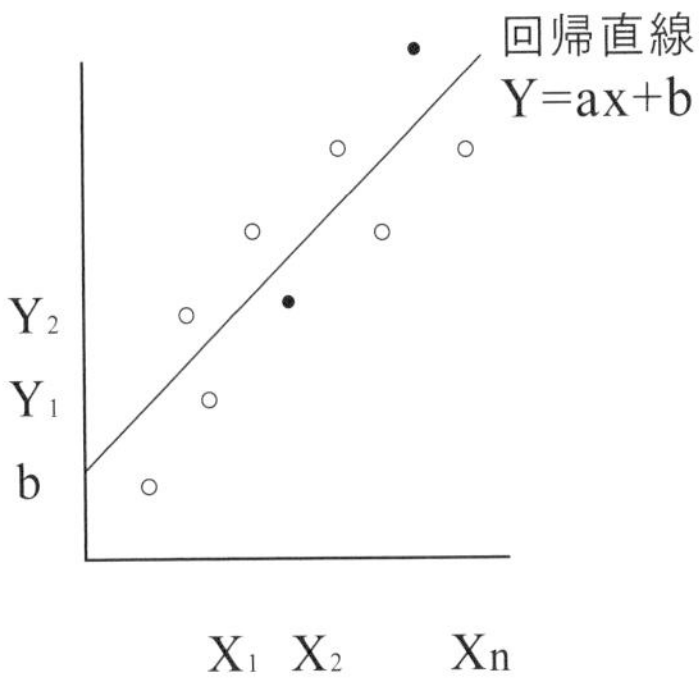

Y_1、Y_2、Y_3……Y_nの関係を、図示してみましょう。先ほどの例で考えると、勉強時間（X）が多ければ多いほどテストの点数（Y）は高くなると予想ができそうです。グラフを見てみると、プロットした点の集合のちょうど中間に、右肩上がりの直線が引けそうに見えます。

この直線を方程式（Y＝aX+b）で示すことができます。この式を用いると、任意のXの値から対応するYの値が予測できるというわけです。データの関係を分析した結果、直線が引ける。これが線形回帰です。非線形回帰といったときには、これが直線ではなく曲線が描けるようなグラフになります。

最小二乗法

データの集合から、ちょうど中間を通るような直線を引くにはどうすればよいでしょうか。そのための基本的な方法が、最小二乗法と呼ばれるものです。

説明変数と目的変数との間に直線的な関係がありそうと推察できるとき、その直線からの距離（誤差）の二乗和が最小になるような直線を引くことができれば、それが最も確からしい直線である。これが最小二乗法の考え方です。

最小二乗法により求められる直線の式は、Y=aX+bとなります。最小二乗法によって、ばらつきのあるデータの中心を通る直線（回帰直線）を得ることができます。

こうした統計学の知見は、ＡＩの理解に役立ちます。ここまで見てきたように、ＡＩが行う学習（機械学習）とは、人間の脳の仕組みを模倣したニューラルネットワークを用いて、入力データを処理し、出力データを生成する技術です。

ニューラルネットワークは、重みと呼ばれる係数を持つ多数の層で構成されています。各層は、入力データに重みを乗じて処理を行い、その結果を出力データとして伝えます。

誤差逆伝播法を用いて、出力データと希望する目標値との誤差を最小限に抑えるように、各層の重みを調整します。この過程で、統計学の知見などを活用することで、精度を高めているのです。

第3章

コンピューター囲碁からAI囲碁へ

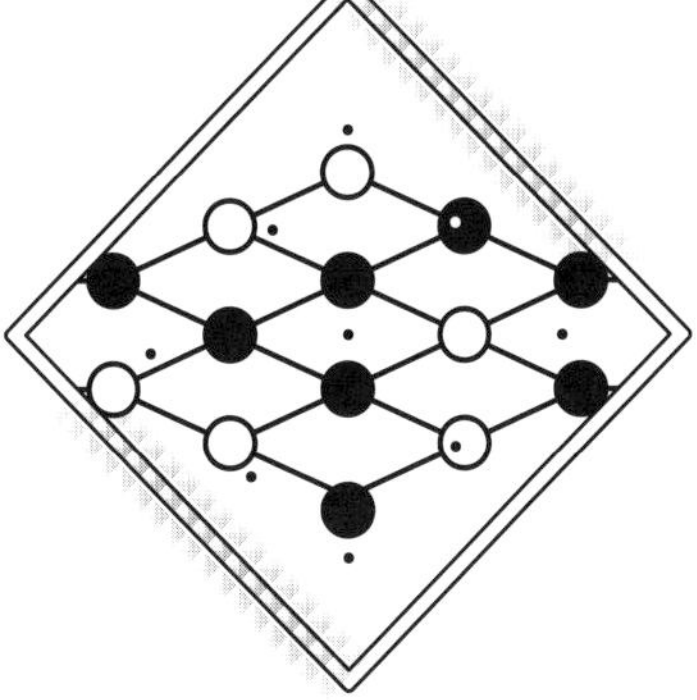

1　ボードゲームとしての囲碁

各ボードゲームの特徴

世界中で楽しまれているボードゲームにはいくつも種類があります。2人で行うボードゲームの代表例は、チェス、将棋《しょうぎ》、囲碁でしょうか。これらのゲームは、運のみでは、勝てません。戦略と技術が勝敗を大きく左右します。

チェスはステイルメイトというルールがあり、引き分けになるケースが多々あります。将棋、囲碁には、「無勝負」のルールがあります。将棋は、千日手《せんにちて》（同一局面が4回続くこと）があり、千日手が対局中発生したとき無勝負と規定され、指し直しとなります。

囲碁のほうでも、対局中、三コウ（盤上に3つのコウができる状態）などが生じ、同一局面反復の状態になった場合、双方が同意したときは無勝負となります。これらが起こることはまれで、通常は勝負がつきます。

それぞれが戦うボードについては、チェスは8×8マス、将棋は9×9マス、囲碁は19×19目の

	チェス	将　棋	囲　碁
勝敗条件	相手のキングをチェックメイトにするか、相手が投了を表明する	相手の王将を詰みにするか、相手が投了を表明する	盤上の多くの空間を自分の石で占めるか、相手が投了する
引き分け・無勝負	ステイルメイト	千日手	コウ
盤面と駒	8x8マス、32個の駒	9x9マス、40個の駒	19x19目、白黒の碁石
初期配置	対局前に駒を配置	対局前に駒を配置	黒から交互に打つ（置き碁の場合は、あらかじめ盤上に石を置く）
駒の置き方	線上の枠内に駒を置く	線上の枠内に駒を置く	線上の交点に碁石を置く

碁盤です。

このようにチェス、将棋と囲碁ではそれぞれ異なる特徴がありますが、共通点もあります。

チェス、将棋、囲碁の共通点の1つは、先を読むゲームだということです。何手先をどう読むか、その読みの質が、勝敗を左右します。先読みは計算学にも通じます。

本書は、囲碁とAIをテーマにしていますので、以降、囲碁を中心に論じていきます（チェス、将棋の愛好家の皆様、お許しください）。

囲碁というゲーム

ボードゲームの中で、囲碁は「二人零和《ゼロ》有限確定完全情報ゲーム」といえます。零和ゲームとは、一方が勝てば、もう一方は負けるということです。先ほど述べたように無勝負もありますが、これはよほどのことがない限り発生しません。

有限ゲームとは、必ず終了するということです。確定ゲームとは、偶然的な要素が入らないゲームです。

さて、囲碁とはどのようなゲームでしょうか。簡単にルールを説明したいと思います。

基本は、①白、黒の石を持った対局者が交互に盤上に石を置く、②囲まれ詰まった石は盤上から除かれる。ルールはこの2つです。そして、最終的に碁石で囲うか碁盤の隅や辺を利用して作る陣地の多いほうが勝ちとなります。

盤上の19×19のマス目の線と線の交点に置いていきます。交互に打っていきますが、一度置いた石は動かせません。

囲まれた石が取り除かれるのは、例えば左の図のような場合です。図

1の黒石1を打つと図2のように2個の白石は盤上から除かれます。

　この単純なルールから石の死活《しかつ》（生き死に）が発生します。日常でも死活問題といったりしますが、囲碁が語源です。

　下の図3、図4とも白石に囲まれていますが、両図とも黒1を打った場合、黒石の陣地に空きが2か所残った状態になります。交互に1手しか打てませんので、両図の黒の

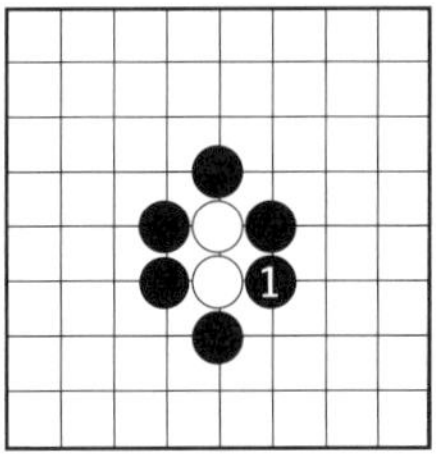

図1

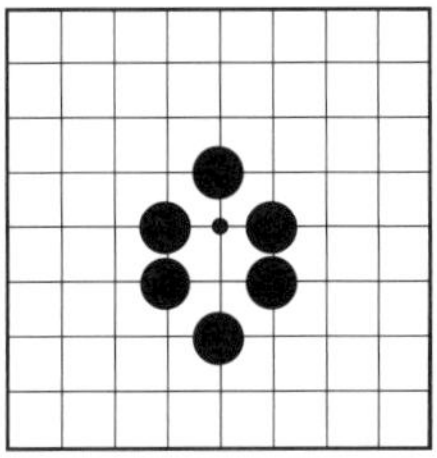
図2

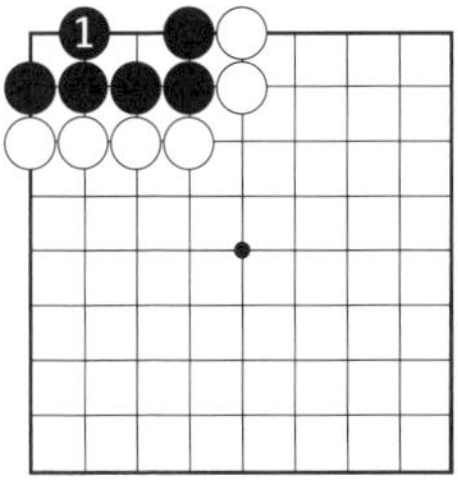

図3

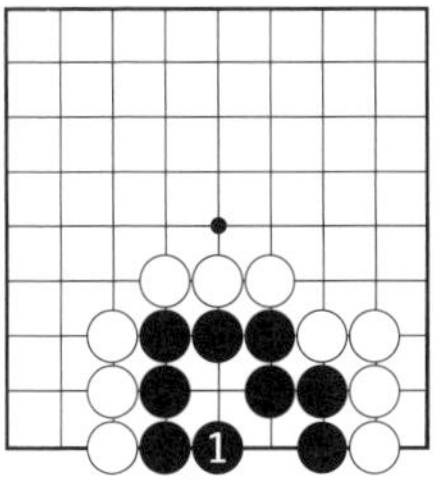

図4

陣地は「二眼があり生きている」といいます。
逆に、黒1が白1と変わっていれば、黒の軍団は死にます。二眼はできません。

同型反復禁止「コウ」

囲碁のルールでぜひ知っておいていただきたいのが「コウ」というルールです。

図5のような場面で、黒1と打った直後に図6のように白1を打って黒を取り返してはいけないというものです。この着手禁止ルールがなければ白石、黒石の取り返しは永遠に続き、勝負がつきません。ちなみにコウは、非常に長い時間を意味する仏教用語「劫《こう》」が由来になっています。

白が黒を取り返したければ、白黒ともにいったん他を打ち、一手ずつ空けば取り返せます。初心者には、難しいルールかもしれませんが、コウは碁の奥行きを深くしています。

コウを理解し碁に勝てるようになれば、上級者クラスです。

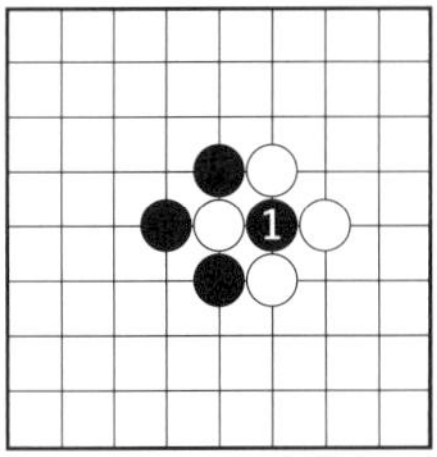

図5

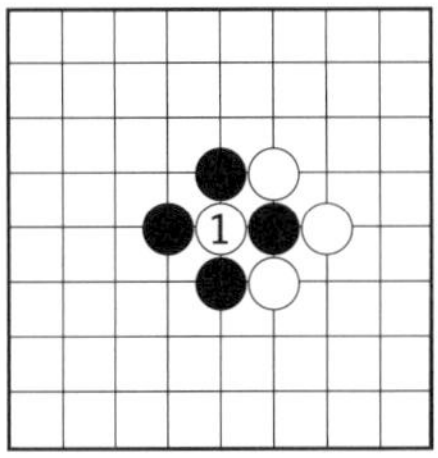

図6

アマチュアの棋力について

アマチュアの棋力の目安になる段位や級位は、20数級から最高8段まであります が、先ほどの石の死活、眼が理解でき、基本の打ち方をマスターできれば10数級に相当すると思います。ルール説明の際に使用した図は9路盤《ろばん》でしたが、公式戦は19路盤で打たれます。10数級の棋力があれば、少し練習すれば19路盤で打てるようになります。

アマの棋力はどのように決められるのでしょうか。日本の碁会所、棋院、ネット碁、囲碁の団体などが独自の棋力認定基準を持っています。

例えば、点数制を採用しているところの場合、対局者が勝てば持ち点に1点を加え、負ければ持ち点をマイナス1にしていき、一定の基準を満たせば昇級・昇段するといった具合です。初段を100点として、106点を2段、112点3段、……130点を6段と、6点刻みに決めている場合が多くあります。

それでは対局の勝敗はどのように決められるのでしょうか。その決め方に日本ルールと中国ルールの2つがあります。

勝敗の決め方

①日本ルール

最後にお互いが囲った陣地の目数（線と線の交点＝目の数）を数えるわけですが、左下の図7を見てみましょう。

図の右側は、黒の陣地です。目数は3×9＋4＝31目。

左側は、白の陣地です。目数は3×9＋3＝30目。

よって勝敗は、黒の1目勝ちとなります。

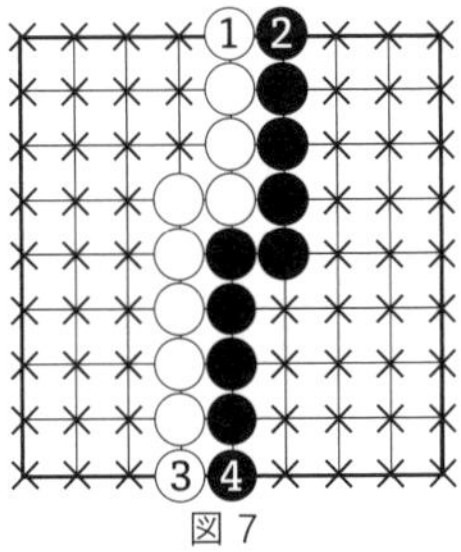

図7

②中国ルール

中国ルールでは、陣地の数え方が異なり、石を置ける目数に加えて盤上の生きている石の数も数えます（ほかにも細かい違いがありますが、わかりやすくするために基本のみ書きます）。

黒の陣地では、黒石を置ける交点が31目で、黒石31子（個）置けます。白石と接している黒石の数は10個なので、黒石の合計は31＋10＝41個です。同様に白石の合計は、30＋10＝40個。したがって黒石が白石より1個多く、黒の勝ちとなります。

2　コンピューター囲碁の歴史

囲碁で対局できるソフトの開発

このような特徴を持つ囲碁というゲームを、コンピューターソフトはいかに攻略してきたのでしょうか。囲碁コンピューターソフトの開発の歴史を見てみましょう。

囲碁コンピューターソフトの開発は、1960年代に、アメリカで始まりました。当時の技術では、人間の棋力には遠くおよびませんでした。人間でも、覚えたてのときなど、同じ棋力同士の対局は、本当に楽しいものです。しかし棋力が上の相手と対戦する場合、序盤は覚えた定石《じょうせき》で受けて打つことはできますが、それ以降は、どう打ってよいのか見当がつかず、ずるずると石を取られ、大敗した経験をされた方も多いでしょう。なぜこのような経験をするのでしょうか。

囲碁を打つ目的は、勝負です。ただし最後の勝敗を決するまでの選択肢が膨大《ぼうだい》で、変化の数があまりに多く、初心者には勝負の流れがわかりにくいのです。

1手目から終局までの変化の数の目安は、チェスが10の120乗、将棋が10の220乗通りといわれます。そして囲碁は、10の360乗通りです。囲碁の盤面変化が最も複雑で、多くの選択肢が存在することがわかります。

この膨大な変化数を、囲碁コンピューターソフトはどう攻略していったのでしょうか。最初は、囲碁のルールをコンピューターソフトに1つずつプログラム上で定義していく必要があります。

・交互に打つ
・囲まれた石は盤外に除く
・すでに打たれている盤上の石の場所には打てない
・陣地を認識させるためプログラムに連結線を認識させる
・二眼の石の形やコウを関数化する
・碁盤を関数化する

	代表的なソフト	特　徴	棋　力
1960年代〜70年代	Zobrist（1969年）：世界初の囲碁プログラム Interim.2（1979年）	死活や石のつながりを認識するアルゴリズムの誕生	Zobrist：アマ38級程度 Interim.2：アマ15級程度
1980年代〜90年代	アメリカのNemesis、台湾のDragon、日本の「碁世代」など Handtalk〈市販ソフト名：手談対局〉（1993年)	1984年に初めてのコンピューター囲碁大会USENIXが開催される 商用囲碁ソフトの販売開始 モンテカルロ法を応用したアルゴリズムを囲碁ソフトに導入	1990年代にアマ上級者クラスに達したといわれる
2000年代	Crazy Stone〈市販ソフト名：最強の囲碁〉（2005年） Zen〈市販ソフト名：天頂の囲碁〉（2009年）	深層学習を用いた評価関数の導入 モンテカルロ木探索による効率的な探索	アマ3〜4段くらい 2008年、プロ棋士に9子局で勝利
2010年代	アルファ碁（2016年)	深層学習による飛躍的な棋力向上 従来のソフトとは異なるニューラルネットワークアーキテクチャ	2010年代前半 アマ4〜6段くらい 2016年、世界トップレベルのプロに互先で勝利

こうした事項をコンピューターに認識させ、対局が終了するまで打ち続ければ対局は終了します。勝敗のつき方についてもプログラムしておきます。こうして準備していき、コンピューターが1手をどう選択していくかでその囲碁コンピューターの実力が決まります。

盤面をどう評価するか

人間の場合、まず盤面の状況を正しく認識し、形成判断をします。次に、相手の打つ手を含めて数手先を予想して、いくつかの選択肢を考え、その中から最善と思われる手を選んで打ちます。初期の囲碁ソフトのアルゴリズムは、こうした人間の思考に近い手法を採用していました。

まず盤面の状況を、石のつながりや地の大きさ、眼の有無などから評価する関数を作ります。

次に評価関数の結果をもとに、候補となる1手を検討します。自分にとって有利になる（＝相手にとって不利になる）手を探索する、もしくは過去の棋譜《きふ》のデータベースを参照して候補となる着手を作成する方法もあります。

候補着手ごとに、数手進めた局面をシミュレーションして、評価関数によって評価します（ゲーム木《き》探索）。その際、有望でない着手の先読みを途中で打ち切り、有望な手を深く読むなどの工夫も施《ほどこ》されました（アルファ・ベータ法）。

このようにして得られた結果をもとに、お互いが最善手を選択した場合の現局面における候補着手の優劣を決めて、1手を決定するのです（ミニマックス法）。

1980年代までの囲碁ソフトは、このようなフロー（流れ）で動いていました。

モンテカルロ法の登場

1990年代になり、モンテカルロ法の導入が研究されます。モンテカルロ法とは、乱数を使って確率的に高い近似値《きんじち》を求める手法です。

例えば9路盤での対戦の場合に、どこに打つべきか、ランダムに打ってみて、終局までの結果をシミュレーションします（プレイアウトといいます）。相手も自分もランダムに打ち合って、それぞれの勝率を計算し、最も評価点数の高い1手を選択していきます。

例えば左下の表の場合、Cの6に打つと最大の値（平均4・12目差）とする計算が出ました。このようにランダム計算を多数繰り返し、最も期待値の高い手を選択し続けていくのです。

このモンテカルロ法の利点は、盤面の評価がランダム対局の結果だけなので、囲碁独自の石のつながりや地の大きさ、眼の有無などをもとにした評価関数を設計する必要がなくなります。

ただ当時はまだコンピューターの性能が低かったこともあり、単純にランダムに石を打ち続け、碁盤に石を埋め尽くして検討しても、モンテカルロ法だけでは棋力は上がらず、アマ上級者にも勝つことが難しい状況でした。

9路盤の各位置の平均点（それぞれに100万局の乱数対戦）

	A	B	C	D	E	F	G	H	I
1	-2.70	0.36	0.31	0.69	0.77	0.69	0.30	0.31	-2.69
2	0.31	2.22	3.31	3.57	3.61	3.58	3.28	2.24	0.28
3	0.34	3.32	4.06	4.01	4.03	4.10	4.01	3.30	0.30
4	0.69	3.55	4.11	4.05	4.09	4.08	4.08	3.66	0.68
5	0.79	3.62	4.11	4.08	4.01	4.07	4.12	3.65	0.79
6	0.75	3.51	4.12	4.06	4.09	4.07	4.03	3.55	0.73
7	0.30	3.31	4.03	4.10	4.02	4.04	3.93	3.30	0.30
8	0.34	2.21	3.29	3.50	3.63	3.64	3.21	2.16	0.35
9	-2.72	0.33	0.28	0.70	0.76	0.65	0.33	0.37	-2.70

モンテカルロ木探索

ランダムに打った結果で盤面を評価するためには、ある程度の試行回数が必要です。しかし囲碁のような候補手の自由度が高く選択肢が多いゲームの場合は、膨大な数のプレイアウト（終局までのシミュレーション）が必要です。チェス、将棋もそうですが、囲碁の対局において持ち時間は無制限ではありません。終局まで数年かかってもよいという試合はないのです。

限られた時間の中で、できるプレイアウトには限界があります。少ない試行回数で、できるだけ良い評価値が得られるようにするためにはどうするか。

2000年代以降に登場したのが、モンテカルロ木探索です。モンテ

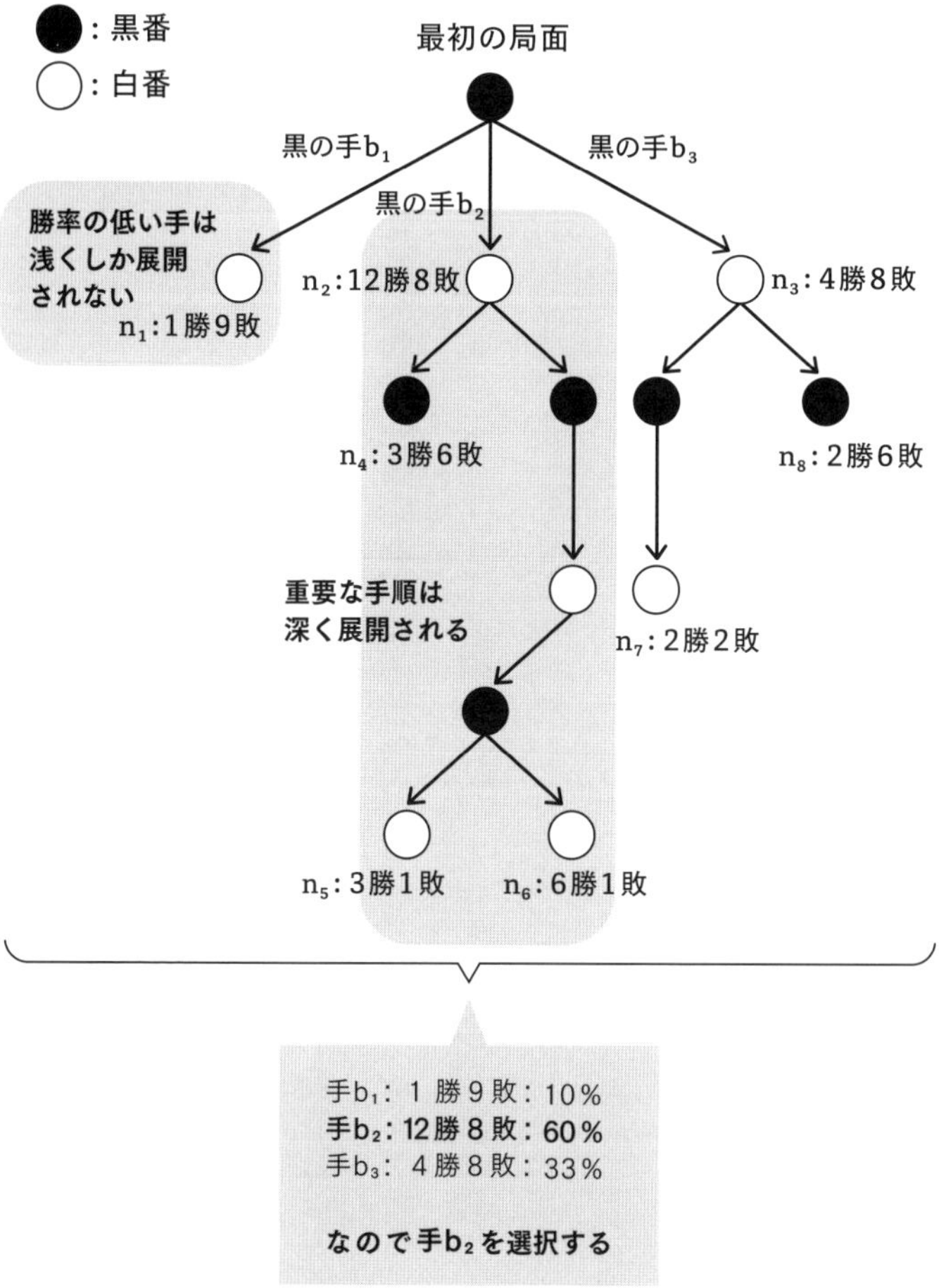

モンテカルロ木探索のイメージ図

大槻知史『最強囲碁AIアルファ碁解体新書』をもとに作成

カルロ木探索とは、前述のモンテカルロ法とゲーム木探索を組み合わせたものです。

ある局面において、仮に黒が1手を選択すると、次の白の応手によって局面状況は枝分かれしていきます。木の枝のように選択肢を検討していき、その中から自分にとって有利な手を探索し、明らかに不利な手は枝切りをします。勝率の高い有望な着手に、より多くのプレイアウトを割り当て、一定数のプレイアウトを行ったら、1手進んだ局面でのプレイアウトを行います。こうして効率的に、最も高い勝率が見込める1手を選択します。

モンテカルロ木探索により、コンピューター囲碁は格段に強くなり、棋力はアマの5、6段にまでなりました。しかし、まだプロ棋士には勝てません。さらなる効率化が必要でした。

3　ブレイク・スルーとなったアルファ碁

最も攻略が難しいボードゲーム

１９９７年5月、チェスのソフトであるディープ・ブルーが、当時のチェス世界チャンピオンのガルリ・カスパロフ氏に2勝1敗3分の勝利を収めました。

２０１０年10月11日、清水市代《いちよ》女流王将がコンピューター将棋に平手で負けました。さらに、２０１２年1月14日、米長《よねなが》永世棋聖とボンクラーズの本対局が、将棋会館で行われ、１１３手で先手のボンクラーズが勝利しました。

チェスと将棋においてコンピューターソフトが勝利を積み重ねる中でも、「囲碁はそう簡単には負けない」との評価が囲碁界では一般的でした。

しかし、「あと10年経《た》てばコンピュータ囲碁もプロ棋士と対等に戦えるレベルになっているかもしれない。（中略）プロ棋士に勝つための基盤をモンテカルロ法は与えてくれたと思う」（『コンピュータ囲碁――モンテカルロ法の理論と実践』共立出版、２０１２年）と語る有識者もいました。この予想どおり、２０１６年、それまでの常識を破るＡＩのブレイク・スルーがなされます。アルファ碁の登場です。

アルファ碁の革新とは何か

モンテカルロ木探索は効率のよい手法でしたが、それでも探索による枝状のすべてのシミュレーション計算は時間がかかりました。もう1つの課題は、ランダム対局によって評価関数を設計せずに盤面を評価できるよさはありますが、人間はランダムにプレイするわけではないので、評価精度に限界があるという点です。

アルファ碁を開発したディープマインド社は、その課題克服に成功しました。終局まで深く探索して評価点を求める手法を捨て、GPU（画像処理装置）の手法を取り入れ、対局図を画像化しその画像を分割・データ化して、畳み込みニューラルネットワークによるディープラーニング処理をすることにしたのです。どういうことかというと、過去のモンテカルロ木探索の結果をうまく利用して、探索する必要のない手を枝切りしようという考えです。そして、ディープラーニングによる学習で訓練したニューラルネットワークを盤面の評価関数に使うのです。

これによってモンテカルロ木探索を大幅に効率化・高精度化すること

に成功しました。

囲碁ＡＩによる次の１手の決定は、人間にはまねできない打ち方です。モンテカルロ木探索をうまく使い、１手ごとの局面を画像化し、ディープラーニングによって処理して最終局面まで計算します。最終局面から囲碁ＡＩが勝つ確率予測値を出して、候補手の中から勝つ確率の最も高い１手を選択するのです。これによりプロ棋士でも、ＡＩに勝てなくなりました。

ディープマインド社の研究論文

囲碁において、コンピューターがプロ棋士に互先《たがいせん》で勝利を収めたのは、アルファ碁が史上初でした。

２０１６年１月27日に、プロ棋士の樊麾《ファンフィ》２段と５局対局し、全勝したことがイギリスの科学雑誌『ネイチャー』に掲載されます。樊麾2段は、2013年から2015年まで欧州囲碁選手権で3連覇している実力者です。

このネイチャー論文によると、アルファ碁は次の4つの技術の組み合わせで成り立っています。

①ポリシーネットワーク
②バリューネットワーク
③モンテカルロ木検索
④ロールアウトポリシー

このうち、①ポリシーネットワーク、②バリューネットワークはディープマインド社の独自技術です。一方、③モンテカルロ木検索と④ロールアウトポリシーは、ほかのコンピューター囲碁プログラムでも採用されているものです（厳密には③④についてもディープマインド社独自の創意工夫や技術加工がありますが、基本的なアイデアは既知のものです）。

以降、この４つの技術について、順に説明します。

①ポリシーネットワーク

ポリシー（policy）は、着手を決めるアルゴリズムです。ネットワークは、ニューラルネットワークのことです。つまり、ポリシーネットワークとは、現在の盤面の情報と収集したデータをもとに、次にどこに打つべきかを決めるためのニューラルネットワークです。

予測精度を上げるためには、畳み込みニューラルネットワークの隠れ層を増やすという案も考えられます。しかしそうすると、ポリシーネットワークの計算時間が増えます。つまり、限られた時間内に「読める」

手が少なくなるということです。

そこでさらに、強化学習の手法を使って、ポリシーネットワークを強くしました。基本的な方針は、ポリシーネットワーク同士の「自己対局」です。

ポリシーネットワーク同士で128回対戦させます。この対戦過程の全盤面を記憶しておき、対戦成績が最も高くなるように、ニューラルネットワークのパラメーター（重み）を調節します。つまり、勝った対戦では勝ちに至った手をできるだけ選ぶようにパラメーターを調節し、負けた対戦では負けに至った手を選びにくいように調節するわけです。

アルファ碁は、この強化を1万回（1回あたりの対戦は128回）繰り返して強化したそうです。従って128万回の自己対局を行ったことになります。

こうして作成されたポリシーネットワークを市販のコンピューター囲

碁プログラムと対戦させた結果が報告に載《の》っています。対戦させた市販プログラムは、コンピューター囲碁プログラムでは最強といわれているプログラムです。このプログラムと対戦した結果は、勝率85パーセントでした。一方で、自己対局による強化前のネットワークでは、11パーセントの勝率にとどまったそうです。つまり、アルファ碁は膨大な数の自己対局によって強くなったといえるでしょう。

ポリシーネットワークは、モンテカルロ木検索のように打つ手の先読みをするわけではありません。現在の盤面の情報だけから、次に打つべき有力手を計算します。これは人間でいうと、盤面を見て直感で打つことに相当します。アルファ碁は、まずこの力を鍛《きた》えました。

②バリューネットワーク

こうして作られたポリシーネットワークをもとに、バリューネットワークを生成します。これは、局面を評価するためのネットワークで、従来の評価関数的な考えを捨て、打つ手を勝率値で評価します。

③モンテカルロ木探索

バリューネットワークにより局面の勝率を評価しながら、モンテカルロ木探索で先読みします。勝率の高い局面は深く探索し、低い局面はなるべく探索しないように計算します。

④ロールアウトポリシー

ロールアウトとは、プレイアウトと同義ですが、ディープマインド社の研究報告に従ってロールアウトとします。

ロールアウト（＝プレイアウト）とは、ある盤面においてどの候補手が一番有力かを見極めるために、候補手の次から始まって黒白交互に合法手（可能な打ち手）をランダムに打って終局まで進め、その勝敗を見ることです。その勝率を計算して、勝率のよい候補手ほど有力とします。

序盤であれ中盤であれ、また終盤であれ、とにかく最後まで打ってみる。これは人間の思考とはかなり違います。人間なら「最後まで打ったらどうなるか」という思考で打つのは終盤だけです。序盤・中盤でそんなことは考えられません。コンピューター囲碁は人間の思考を模倣《もほう》したところもありますが、ロールアウトについては、コンピューターにしかできない力技です。

ロールアウトによる勝率の推定は、あくまで確率的なものなので、ロールアウトの回数が多いほど推定が正確になります。たくさんロールアウトするためには、計算速度の高速性が必須条件なのはいうまでもありません。そのうえで、膨大な計算をなるべく少なくし、かつ最善手に効率的にたどり着くアルゴリズムが必要です。

囲碁には「定石」があります。アマチュアで段位を持っている人なら誰でも知っているような、部分的に正しいとされる手筋のことです。そういう定石が打てるなら打つ。そうしたほうがランダムなロールアウトより盤面の優劣の判断がより正確になると考えられます。

完全ランダムではなく、一定のロジックに基づいてロールアウトをする。これがロールアウトポリシーです。アルファ碁もロールアウトポリシーを採用しています。

ランダムなロールアウトの課題の1つは、候補手をリストアップする段階で「合法手すべて」としていることです。少なくとも初期の段階では、それらを均等に扱っていますが、合法手の中には「囲碁の常識上ダメな手」があるはずです。この悪手を高速に判別できれば、候補手の中でもロールアウトの優先度を落とすべきでしょう。アルファ碁では、こうしたロジックを採用し、改善を施《ほどこ》しているのです。

アルファ碁の意義

これらの革新的なアルゴリズム群を実装したアルファ碁は、2016年3月、韓国屈指の強豪イ・セドルに対して4勝1敗の成績を収めました。ついにコンピューター囲碁がプロ棋士のレベルに達し、世界レベルのプロ棋士を破ったのです。

囲碁AIのブレイク・スルーでした。AIという名称が生まれたダートマス会議から60年、当時の科学者たちが願ったことが現実となりました。チェス、将棋、囲碁の強豪プロ棋士を倒すことで、AIの能力を世界に認知させることに成功したのです。

衝撃的なニュースに、AIは人間の知性を超えたとまでいう人もいました。しかし、人工知能についてヤン・ルカンは次のように述べています。

「今のところ、最も優れたＡＩシステムをもってしても、人間の脳には到底およばない。人間どころか、猫よりも知能が低い」（『ディープラーニング　学習する機械』講談社）

囲碁はたしかに攻略の難しいゲームです。しかしルールは単純で、盤面に形成する陣地の大きさを争うものです。中国ルールでいえば、盤面に白石・黒石をどちらが多く置けるかを争うゲームです。ＡＩは、画像処理を行い、白・黒の面積を比率で表して、高速に計算するアルゴリズムによって最善手を算出したにすぎません。

ＡＩは、統計学の知識、高速に計算するアルゴリズムなど、人類の多くの知的成果が組み合わされた技術です。そして今も日進月歩《にっしんげっぽ》で進化を続けています。

ＡＩは多くのことを成し遂げようとしていますが、それでも、囲碁をはじめとした特定の分野において限定的な用途にしか使えません。限られた用途では人間を凌駕《りょうが》する性能を見せていますが、それでも人間の脳のほうが、はるかに高性能で、ＡＩとは大きな差があるのもまた、事実なのです。

終章

AIが人類につきつけるもの

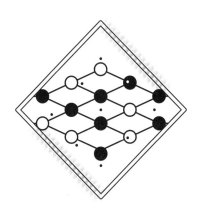

軍事目的の科学技術文明

数学、電気工学、コンピューター科学の粋《すい》を集めたＡＩは、たしかにすごい技術です。しかしＡＩ自身には、思想といえるものはありません。同様に、ＡＩを動かすアルゴリズムを搭載《とうさい》した電子計算機にも、思想は存在しません。これらは人間が作り出したソフトウェア、ハードウェアであり、人間が動かす計算用具です。

プログラムが軍事目的から作られたものであれば、データも電子計算機も軍事的なものとなります。つまり作り出した人間の思想や使う人の行動によって、コンピューターの価値は決定されます。

第１章で見たとおり、世界初の電子計算機は軍事目的で製作されました。１９４６年、アメリカ国防省が開発したＥＮＩＡＣ《エニアック》は、ＩＣＢＭ（大陸間弾道弾）の諸計算のために作られました。

現代社会は、効率、利便性、スピードが重視されます。その価値観がコンピューター性能のすさまじい向上を支えました。ＡＩの進化は、そうした価値観を信奉する人にとってこれからも大きな恩恵をもたらすでしょう。一方で、ＡＩが人間を排除するのではといった懸念《けねん》が広がりつつあります。

たとえば、多くの事務作業は、コンピューターの登場で簡易に、早く、効率的にできるようになりました。ＡＩがさらに多くの事務作業を担い、もはや人の手がいらなくなるのではないか。生産現場においても、いっそう効率化が進み、ものづくりの現場から人間が消えるかもしれません。本当に創造的なものづくりの分野以外は、人の仕事は残らないかもしれません。

医療分野においても、ＡＩは大いに活躍するでしょう。病気の発見、治療に多くの革新が生まれる可能性があります。一方で医師の触診《しょくしん》や問診は、患者とのコミュニケーションでもあり、信頼関係を育《はぐく》む役割もあります。双方のメリットとデメリットを比較し、どこを人間に残し、何を機械に任せるか、その判断がより重要になってくるでしょう。

私は今も教育現場に立っていますが、この教育の分野においてもＡＩ化の影響は大きいと考えられます。知識を得、学習するだけなら、ＡＩは便利なツールであり、頼もしい伴走者になるでしょう。しかし、ＡＩ自体には常識も良識もありません。人間性を磨き、教養を深め精神を陶《とう》冶《や》するためには、やはり人間同士のかかわりが必要であることは論をまちません。

そのほか事例は多々あると思いますが、つまり、ＡＩを理解し、その恩恵を得ていく一方で、今あらためて機械と人間の調和について考えるべき時が来ているのではないか――ＡＩについて知れば知るほど、私の中にそうした問題意識が生まれてきたのです。

ＡＩは有能ですが、万能ではありません。驚異的な性能を持ち、大変便利なＡＩはどんどん進化をしていますが、一方で人類的課題は山積し、戦争はなくなっていません。むしろＡＩが人間の仕事を奪い、環境を破壊し、人の命を奪う道具として悪用される未来も、十分にあり得るのです。

ＡＩは社会をどう変えていくか

ＡＩ研究の進展は、人類に大きな恩恵をもたらす一方で、シンギュラリティと呼ばれる未来予想図が懸念されています。

シンギュラリティとは、「技術的特異点」という意味の言葉です。ＡＩが人間の知能を超え、指数関数的に進化し、社会に不可逆的な変化をもたらす瞬間を指します。ＡＩ研究者レイ・カーツワイル博士は、シンギュラリティが2045年ごろに到来すると予測し、人類の知性が現在の何兆倍にも増幅されると予測しています。

また、野村総合研究所と英オックスフォード大学の共同研究では、2025年から2035年の間に、日本の労働人口の約49%がAIによって代替可能になると推計されています。

一方で、芸術、哲学、神学など、抽象的な概念《がいねん》を扱う学問や職業、人の理解や説得などが必要なサービスは、AIにとって代替が難しいと考えられています。さらに、AIでは代替できない、人間の感性に根差した新たな職業が生まれる可能性も指摘されています。

今後の社会では、人間はAIには生み出せない独自の価値を提供することが求められるでしょう。

第3章でも引用したヤン・ルカンは、AIと人間との関係について、次のように述べています。

「ＡＩは人間によって作られた道具であり、人間の下僕《げぼく》であることをくれぐれも忘れるべきでない。ＡＩはその知能を強化増大させつつあるが、主導権を取れないＡＩの現在の限界を考えると、大惨事が起きれば、それが不注意や能力不足によるものであろうと、ＡＩ自《みずか》らの熟考的判断によるものであろうと、責任は人間が取るしかない。危険があるとすれば、それは人間自身と人間によるＡＩの悪用にかかわるものだ」（『ディープラーニング　学習する機械』）

21世紀は、ＡＩ文明の世紀というべき時代になるのではないでしょうか。多くの恩恵と変化を社会にもたらすと同時に、負の側面も考慮すべきです。ＡＩ搭載の殺傷兵器、ミサイルや戦闘機等も、開発されています。

科学技術と人間との関係を考えるとき、頭に浮かぶのが原子力の歴史です。

宗教と科学

ヨーロッパで生まれた近代科学は、神学教義と対立しながらも、人間の英知によって神の存在を肯定しつつ、発展してきました。その先駆けがニュートンであり、彼の著作『プリンキピア』はその後の科学を支えた原典となりました。

しかし、アインシュタインによってニュートン力学を覆《くつがえ》す相対性原理が発見され、物質の核変換による質量欠損と光速度の関係式 $E=mc^2$ が導き出されました。この莫大《ばくだい》なエネルギーは、原子爆弾の放射エネルギーとして利用されることになりました。

1942年、アメリカ政府はマンハッタン計画によって本格的な核開発を進め、原子爆弾製造に成功しました。1945年8月6日、世界で初めて、広島に原子爆弾が投下され、何十万人という死傷者を出し、科学技術の悲惨で残忍な側面を余すところなく示しました。

日本に原爆が投下されたというニュースを聞いたアインシュタインは、「ああ、なんたることだ！」と嘆き、絶句したといわれています。そして、核連鎖反応が軍事目的のために使用される可能性について述べたルーズベルト大統領あての手紙に署名をしたことを、

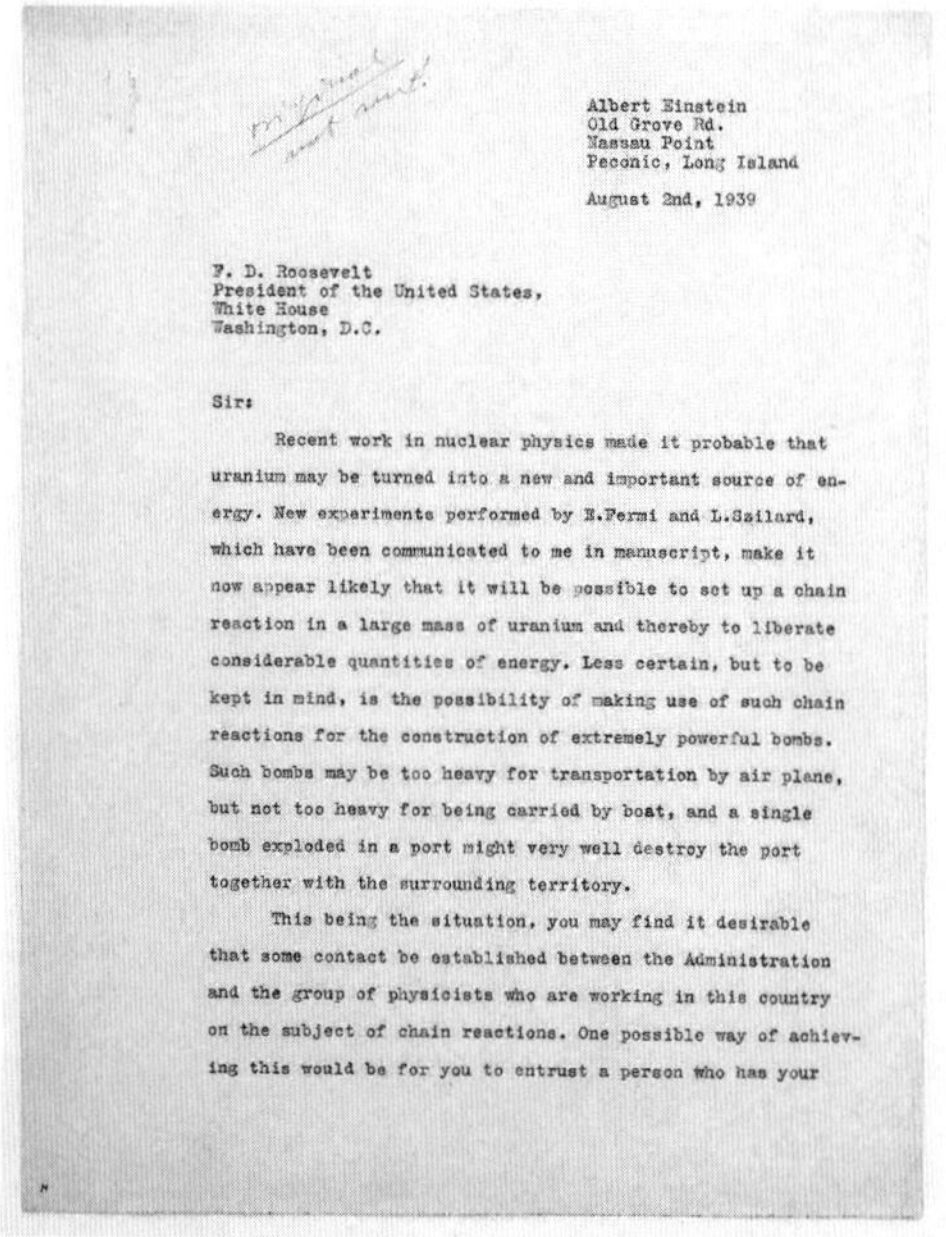

Albert Einstein
Old Grove Rd.
Nassau Point
Peconic, Long Island

August 2nd, 1939

F. D. Roosevelt
President of the United States,
White House
Washington, D.C.

Sir:

Recent work in nuclear physics made it probable that uranium may be turned into a new and important source of energy. New experiments performed by E.Fermi and L.Szilard, which have been communicated to me in manuscript, make it now appear likely that it will be possible to set up a chain reaction in a large mass of uranium and thereby to liberate considerable quantities of energy. Less certain, but to be kept in mind, is the possibility of making use of such chain reactions for the construction of extremely powerful bombs. Such bombs may be too heavy for transportation by air plane, but not too heavy for being carried by boat, and a single bomb exploded in a port might very well destroy the port together with the surrounding territory.

This being the situation, you may find it desirable that some contact be established between the Administration and the group of physicists who are working in this country on the subject of chain reactions. One possible way of achieving this would be for you to entrust a person who has your

物理学者アインシュタインがルーズベルト米大統領に原爆開発を提言した手紙
提供：共同通信

生涯悔《く》やんだそうです。

戦後、彼は核兵器廃絶を叫び続けます。10人の科学者とともに、核兵器反対、紛争の平和解決を訴える「ラッセル＝アインシュタイン宣言」に署名しました。その一週間後、心臓発作で76歳の生涯を閉じたのでした。

アインシュタイン博士は宗教、なかんずく東洋の思想・仏教に注目していたようです。次のような言葉を残しています。

「宗教なくして科学は不具であり、科学なくして宗教は盲目です」

（『アインシュタイン150の言葉』ディスカヴァー・トゥエンティワン）

「仏教は、近代科学と両立可能な唯一の宗教である」

（『仏教と西洋の出会い』トランスビュー）

仏教の人間観と科学の倫理

仏教の思想は、人間をどのようにとらえているのでしょうか。仏教の言葉に「天上天下唯我独尊《ゆいがどくそん》」というものがあります。聞いたことがある方も多いでしょう。これは「宇宙でただ私だけが尊《とうと》い」という意味ではありません。本来の意味は、「この宇宙の中で、私たちの命に差別はなく、皆かけがえのない尊い存在であり、平等に大切な命である」ということです。

命は、最高に尊重される価値です。仏教の思想に基づくと、科学も、人間の幸福のためにあると位置づけられます。しかし科学が軍事に利用され、2度の大戦で多くの人間の命が失われました。なぜ戦争が起こるのか――それは人類1人1人の生命観に帰結するのではないでしょうか。

科学技術は人類に大きな恩恵をもたらしてきましたが、同時に大きな悲劇も生み出してきました。アインシュタイン博士の苦悩と平和への願いは、科学技術の倫理的な使い方を考えるうえで重要な示唆《しさ》を与えてくれます。

2度の世界大戦の惨禍《さんか》から、将来の世代を救うために国際連合が誕生しました。その憲章の序文には、〝戦争の悲惨さから将来の世代を救い、基本的人権や人間の尊厳、男女平等、大小国の平等を確立し、正義と国際法に基づいた平和な社会を実現する〟という強い意志が込められています。

しかし、近年においても、ロシアによるウクライナ侵攻、イスラエルとパレスチナの衝突のように、理由はどうあれ、無辜《むこ》の市民、幼《おさな》い子どもも、老人などが銃やミサイルで殺害され、多くの人々が苦しんでいる事態が続いています。

現代の戦闘機や戦車は、コンピューター制御装置を搭載し、精密な攻撃能力を持っています。一部の国が持っている核兵器がもし使用されれば、広島・長崎をはるかに超える残酷《ざんこく》な惨事が繰り広げられ、世界は泥沼のような世界大戦へと向かう危険性があります。

このような状況の中で、私たちは人間の命について真摯《しんし》に考える必要があります。AIをはじめ、科学技術を大いに進歩させてきた私たちは、今こそ戦争がもたらす悲惨さを認識し、生命尊厳を第一義とする倫理観も、進歩させていくことが肝要ではないでしょうか。

ウクライナ危機と核についての提言

2023年11月15日、著名な仏教指導者である創価学会の池田大作名誉会長が逝去《せいきょ》しました。池田名誉会長は、数々の提言を残していますが、ウクライナ危機と核問題に関する緊急提言（2023年1月11日付「聖教新聞」）に注目したいと思います。

「私は、国連が今一度、仲介する形で、ロシアとウクライナをはじめ主要な関係国による外務大臣会合を早急に開催し、停戦の合意を図ることを強く呼びかけたい。その上で、関係国を交えた首脳会合を行い、平和の回復に向けた本格的な協議を進めるべきではないでしょうか」

池田名誉会長はこう強く訴えたうえで、自らの師である創価学会第2代会長戸田城聖《じょうせい》が残した「原水爆禁止宣言」に言及しています。これは、1957年（昭和32年）9月8日、横浜・三ツ沢の陸上競技場で、青年を中心に約5万人が集った「若人《わこうど》の祭典」での戸田会長の宣言です。その内容を紹介します。

「われわれ世界の民衆は、生存の権利をもっております。その権利をおびやかすものは、これ魔ものであり、サタンであり、怪物であります。それを、この人間社会、たとえ一国が原子爆弾を使って勝ったとしても、勝者でも、それを使用したものは、ことごとく死刑にされねばならんということを、私は主張するものであります」

戸田会長は、生命尊厳を教える仏法者として、死刑制度には絶対に反対の立場です。それでも、あえて「死刑に」と叫びました。それは、原水爆を保有し、使用したいという人間の心にひそむ「魔性《ましょう》」それ自体に、くさびを打ち込むためだったと推察されます。

「小我」と「大我」

有史以来、平和を実現するために多くの人がさまざまな努力を重ねてきました。しかし、なぜ平和は実現しないのでしょうか。その理由をアインシュタイン博士は「本当の問題は、人々の頭と心の中にある」（『アインシュタインは語る』大月書店）と考察しています。

池田名誉会長の著作『21世紀文明と大乗仏教』（第三文明社）には、次のような言葉があります。

仏典には、「己《おのれ》こそ己の主である。他の誰がまさに主であろうか。己がよく抑制されたならば、人は得難《えがた》い主を得る」「まさに自らを熾《し》燃《ねん》（＝ともしび）とし、法を熾燃とすべし。他を熾燃とすることなかれ。自らに帰依《きえ》し、法に帰依せよ。他に帰依することなかれ」（宮坂宥勝『真理の花たば　法句経』筑摩書房）等とあります。

いずれも、他に紛動されず、自己に忠実に主体的に生きよと強く促しているのであります。ただ、ここに「己」「自ら」というのは、エゴイズムに囚《とら》われた小さな自分、すなわち「小我《しょうが》」ではなく、時間的にも空間的にも無限に因果の綾《あや》なす宇宙生命に融合している大きな自分、すなわち「大我《たいが》」を指しております。

そうした「大我」こそ、ユングが「自我(エゴ)」の奥にある大文字の「自己(セルフ)」と呼び、エマーソンが「あらゆる部分や分子が平等に結びつく普遍的な美、永遠の『一なる者』」(『エマソン論文集』酒本雅之訳、岩波書店)と呼んだ次元と強く共鳴し、共振し合いながら、来るべき世紀へ「万物共生の大地」を成していくであろうことを、私は信じて疑いません。

名誉会長は、この「小我から大我へ」の思想に言及してきました。人間が、高度な科学技術を駆使し、さらなるAI文明社会に生きるとき、私はこの「小我から大我へ」がキーワードになると考えています。

AIをはじめとした科学技術の発展はさらに進み、同時にそれを使う人間の精神性が重要になる時代が訪れるでしょう。小我を打ち砕くきっかけの1つは、他者との触発、対話だと思います。囲碁には多くの別名がありますが、その1つに「手談《しゅだん》」があります。囲碁を通じて、言葉を超えた対話ができるのです。

すべてあらゆることに、最優先すべきは人間です。そうした人間主義の立場に立って、人類の課題と人間の幸福について胸襟《きょうきん》を開いて語り合う対話が、ますます重要になります。ＡＩが戦争ではなく平和のために活用され、人類が幸福の道を開いていく未来を祈り、筆を擱《お》きます。

特別収録

対談

AI・囲碁・教育

――その未来を展望する

劉知青（北京郵電大学教授）

×

坂じゅんいち

私が代表を務めたＮＰＯ法人囲碁教育振興会は、２０１８年７月７日・８日にかけて第１回囲碁教育サミットフォーラムを主催しました。これは日中国交正常化45周年・日中平和友好条約締結40周年の佳節《かせつ》に合わせたもので、外務省の認定事業として行われました。その折、北京郵電大学教授の劉《りゅう》知青《ちせい》博士と対談を行い、その内容は月刊誌『第三文明』に掲載されました。私の当時の問題意識と、今後も重要になる視点が含まれているため、本書にも収録することにしました。（肩書等は掲載時のもの）

人間はもうＡＩに勝てない

坂じゅんいち　私は、高校教師として教壇《きょうだん》に立ちながら、囲碁を教育に取り入れる活動に長年取り組んできました。近年、囲碁界では、Ａ

I（人工知能）を用いた「アルファ碁」が世界のトップ棋士たちを打ち破り話題と関心を集めています。そこで今回、AIと囲碁、教育というテーマで、AIの専門家でいらっしゃる劉先生にお話をうかがえればと思います。

劉知青　このような機会をいただき、感謝しています。喜んでお受けします。

坂　ボードゲームにおけるAIと人間の対決についてですが、囲碁のほか、チェスや将棋《しょうぎ》でも、すでにAIが勝利を収めています。

AIについての世界的な研究が始まったのは、たしか1950年代からだったと思いますが、その研究は一筋縄《ひとすじなわ》ではいきませんでした。

人間であれば、周囲の状況から適切に推論できることでも、コンピューターの場合は具体的に条件を設定しなければ結論が導き出せません。つまり、人間の感情、思惑など、想定外の事態まで考慮《こうりょ》してプログラム

するとなると、非常に難しい。この課題があったために、ＡＩの開発は
まず、ある特定の分野に限って、ルールが明確な条件のもとで進める必要がありました。そこでターゲットになったのがボードゲームです。
将棋についていうと、コンピューターが人間と勝負ができるまでに強くなったのは２００７、８年ごろからです。そこからぐんぐん実力を上げ、ＡＩ将棋がプロ棋士と対等なルールで勝負して勝ったのが２０１３年でした。

劉知青氏

劉　チェスは1997年に当時の世界王者にコンピューターが勝利を収め、人間対AIの決着がつきました。中国の将棋（中国象棋、シャンチー）でも同様ですね。

坂　コンピューターの性能向上もあり、膨大《ぼうだい》な数の将棋の棋譜《きふ》のパターン（特徴）を人間が認識させることにより、AIは学習できるようになりました。そうしたマシンラーニング（機械学習）によって飛躍的に強くなったのです。

劉　おっしゃるとおりです。

坂　ところが囲碁の場合は、将棋と少し事情が異なります。囲碁はルールが単純ですが、囲碁の打ち方には、将棋の各駒のように差し方の規則（特徴）はありません。どこに打ってもよい。そのため、マシンラーニングでは人間が特徴を定義する必要があったため、人間に勝つのは無理ではないかといわれていました。

そこで、ブレークスルーになったのが「ディープラーニング（深層学習）」です。

劉　そうですね。1970年代からそういう考え自体は存在しましたが、実用には至っていませんでした。コンピューターの能力が足りていなかったということもありますが、当時、データも足りませんでした。

　しかし今はコンピューターの記憶容量、計算速度も飛躍的に向上しました。そうしたハ

著者

ード面の進化をもって、ディープラーニングが発達していったのです。

坂 ディープラーニングの基本的な技術は、複雑なものではありません。入力された値（データ）に対して簡単なファンクション（関数）で処理をして出力していきます。それを階層ごとに重ねていき、コンピューターネットワークの中で調整しながら、マシン側が総合的かつ自動的に特徴を抽出（判断）していくのです。こうした仕組みは、まさに人間の脳の仕組みを利用したものといわれています。

人間が碁を打つ場合には、碁盤をぱっと見た瞬間に、局面を頭の中で判断し、計算して碁を打っていきます。ただ、残念ながら人間は、コンピューターのように細かく正確に計算はできないですね。

劉 もちろん、人間と機械とでは学習能力に違いがあります。ただ、人間は創造的能力を持っています。コンピューターほどの大容量のデータベースがなくても、人間は判断して碁を打つことが可能です。現在の人工知能は、大容量のデータを使わなければ、有効な進化をしていけません。

坂 それでも、実質的には、もう人間はAIに勝てないですか。

劉 そうです。残念ながら勝てません。

AIと人間の差を考えたときに、人間は、勝負がかかった一局のときなど、判断が狂うことがありますね。たとえば、勝ち・負けという認識が遅れる。

実例もあります。中国の唐韋星《タンウェイシン》9段と韓国のイ・セドル9段が、2013年の三星杯（三星火災杯世界囲碁マスターズ）の決勝三番勝負で対戦したときのことです。優勝がかかった一局でした。何が起こったかといいますと、試合終了の時点で、2人とも「自分が勝った」と思っていたのです（碁盤を広大な土地に見立て、相手より多くの陣地をつくったほうが勝ち）。

あとで正確に計算すると、半目の差でイ・セドル9段の負けでした。おそらく彼は、どこかで1つずれがあって、計算を間違ったのでしょう。人工知能の囲碁の判断ではそうしたミスは起こりません。

坂　その気持ちはわかります。人間は、絶対に負けを信じて打つ人はいませんから、勝ちたいという気持ちが、そうしたミスを生んだのかもしれません。

劉　これは両方同時に自分が勝ったと思いこんでいた例ですが、逆に両方とも自分が負けたと勘違いした例もあります。

ＡＩで変わる社会

坂　囲碁でいかんなくその実力を証明したＡＩですが、この技術を用いて、たとえば医療など、もっと人間社会の幅広い分野にＡＩが入ってくると思います。

劉　私もそうなると思います。

坂　ある特定の領域において、ＡＩがデータ処理をし、解決していく。輸送の分野であれば、たとえば将来、電車の運転手は人間である必要がなくなるかもしれません。こう考えていくと、多くの分野で人間が排除され、仕事を失ってしまう懸念《けねん》があります。

もう一歩進んで、私がお聞きしたいのは、輸送なら輸送のＡＩ、医療なら医療のＡＩを開発していくと思いますが、その枠をＡＩは超えることができないのでしょうか。つまり、特化型のＡＩが将来、汎用《はんよう》型のＡＩにまで進化しうるのかということです。

劉　現状は特化型ＡＩだけですが、将来はその枠を超えていくでしょう。

今私たちはＡＩを主に経済的な観点から研究開発しています。人間にとって実用性のあるものから集中的に発展させてきているところです。

将来は、汎用性に優れたＡＩに進化することは可能です。

坂　そのような「汎用のＡＩ」が出てきたら、人間もそれに順応していかなければならないでしょうね。

劉　それはそうならざるを得ないでしょう。

たとえば、飛行機のある時代とない時代とでは、人間の生活範囲は大きく違いました。これまでも、時に1つの技術がブレークスルーとなって社会を大きく変えてきたように、これからＡＩも我々の社会のあらゆる面で変化をもたらし、人間の生活を助けてくれるでしょう。

坂　同時に、ＡＩが新しい産業を生む可能性もあるでしょうね。私は、ＡＩそのものは中立である、つまり、ＡＩ自体は善でも悪でもないと思います。

劉　今はそうです。ただ、将来、ＡＩが自分の意思を持つようになるとするなら、自律的に物事を考えるようになり、人間がコントロールできなくなる危険性があります。

そうした事態を想定した場合、たとえば政府がしっかりと法的規制を出すべきなのか。どういった解決方法があるのか――その点については何ともいえません。自分自身、よい解決方法を持ち合わせていないのです。

ただ、皆でＡＩのメリット・デメリットについてしっかりと認識し、ＡＩの危険性についてはどのような解決方法があるか――そうした討議を早期に始める必要があると思います。そうした段階にすでに入っていると思います。

ＡＩが教育を変えていく可能性

坂　最後に、ＡＩと教育をテーマに考えていきたいと思います。

劉　教育について、理想的な考え方をいいます。今伝統的な教育でしたら、1人の先生が受け持つ生徒の数は40人、30人と認識していますが、理想をいえば、1人の生徒に1人の先生がついたほうがよい教育ができるのではないでしょうか。これを可能にするのがコンピューターです。

坂　それはやはりＡＩですか。

劉　そうです。ＡＩ教師を、1人1人につけるのです。たとえば、坂先生の知識と経験を人工知能化して、30人の生徒に30人の坂先生が教えるということが考えられます。しかもその30人のコピーの坂先生は、一律に生徒を教えるのではなく、1人1人の能力に合わせて適切に教えるということが可能になっていきます。

坂　今行われているような、一斉授業の考え方ではないということですね。

劉　一斉授業というのは、基本的に、公平とはいえません。生徒1人1

人の能力に合わせた学習環境をつくるのがベターじゃないでしょうか。

坂　なるほど、そうかもしれません。

今後のAI時代を考えると、情報教育というのは、早いうちから始めるのがいいだろうと思います。今周りを見ても、情報処理ができる人というのは、子どものころからコンピューターに興味を持って、自分でプログラムをつくったり、それを応用したりして、いろんなことをやっている人が多いですね。そういう方は40、50歳になっても、うまくコンピューターを扱います。ですから、早いうちから本格的に情報教育を行うべきです。

劉　まさにそのとおりです。

坂　また、私は教育に囲碁を取り入れる活動を長年やってきましたが、囲碁なども初等教育で徹底して教えるべきだと思います。囲碁は伝統文化、いわゆる「琴棋書画《きんきしょが》」の1つです。

碁は3歳くらいからできます。早いうちから囲碁とか音楽、書道、絵画、こういうものをしっかりやると、将来、創造力のたくましい子が育つと思うんです。

劉　そうですね、早いうちがよいでしょう。

私はアメリカの大学で博士号を取りましたが、アメリカではとても音楽を大切にして教育にも取り入れていました。たとえばピアノは両手で弾きますから、右脳と左脳、両方を均等的に鍛える効果があると思います。両方の指を動かして、次にどう鍵盤《けんばん》を弾いていくのか、その次はどう弾いていくかと、未来に対する計画を立てる訓練にもなると思うのです。

囲碁も同じような効果を持っていると思っています。囲碁の局面は画像形式で覚えます。画像認識は右脳です。ロジックで考えるのは左脳。囲碁を打つことで次の1手をどうするか考えます。先ほどのピアノと同じように、未来に対する計画のつくり方を習得できるような気がします。囲碁の教育も、子どもたちの早期教育に重要だと思います。

坂　私は、温故知新《おんこちしん》という言葉があるように、教育の世界では、新しい時代の変化に対応していくだけではなくて、やはり過去の遺産というか、不易《ふえき》なものも大事にしていくべきだと思います。

中国の四書の一つ『中庸《ちゅうよう》』でも不易の大切さを学びます。『中庸』はものごとの本質を書いていますね。

劉　中国の思想、東洋思想はたしかに素晴らしいものですけれども、私はそれだけでは足りないと感じています。何が足りないかというと、「個体」を重視するような考えがまだ不足していると考えています。

今、現代は「個体」が重視されている世界です。そうしたなかで、東洋思想だけではもの足りない。

坂　今は機械と人間は明確に区別できますが、将来機械が意思を持つようになったら、人間と機械の境界があいまいになってくるのではないかと思います。そうすると、人間を人間たらしめるものは何か、そうした哲学、思想への探求が今以上に必要な時代が来ると思います。

東洋思想だけ、西洋思想だけということではなく、全地球的な生命哲学について、検討するべき時代に入っているんだと、今のお話をうかがっていて思いました。

先生、今日は長時間、いろいろと教えていただき勉強になりました。ありがとうございました。

劉　私のほうこそ、今回、こういう機会をいただいて感謝しています。ありがとうございました。

（『第三文明』2019年6月号より転載）

参考文献一覧

第1章

内山昭『計算機歴史物語』岩波書店
ペギー・キドウェル、ポール・セルージ／渡邉了介訳『目で見るデジタル計算の道具史』ジャストシステム
坂じゅんいち『囲碁文化と学校教育』第三文明社
坂じゅんいち『AI・囲碁・教育　その未来』浙江工商大学出版社
安永一『中国の碁』時事通信社
小島寛之『証明と論理に強くなる』技術評論社
藤井信生『ハンディブック電子』オーム社
桂井誠『ハンディブック電気』オーム社
音葉哲、大槻有一郎『コンピュータの動くしくみ』日東書院
鳥居鉱太郎「利用形態に基づくコンピュータの世代分類法」、『松山大学論集』15巻5号所収

長橋賢吾『よくわかる 最新 量子コンピュータの基本と仕組み』秀和システム

第2章

合原一幸編著『人工知能はこうして創られる』ウェッジ
松尾豊『人工知能は人間を超えるか』KADOKAWA
伊藤和行編/佐藤勝彦、杉本舞訳・解説『コンピュータ理論の起源 第1巻 チューリング』近代科学社
石井博昭、塩出省吾、新森修一『確率統計の数理』裳華房
森棟公夫『統計学入門』新世社
内山明治、堀江俊明『絵ときでわかるディジタル回路』オーム社
小泉英明編著『脳科学と芸術』工作舎

第3章

佐藤淳一『よくわかる 最新 半導体ナノプロセスの基本と仕組み』秀和システム

長橋賢吾『よくわかる 最新 機械学習の基本と仕組み』秀和システム
神崎洋治『やさしく知りたい先端科学シリーズ3 シンギュラリティ』創元社
大槻知史『最強囲碁ＡＩアルファ碁 解体新書』翔泳社
松原仁編／美添一樹、山下宏『コンピュータ囲碁――モンテカルロ法の理論と実践』共立出版
伊藤真『Pythonで動かして学ぶ！ あたらしい機械学習の教科書』翔泳社
ヤン・ルカン／松尾豊監訳・小川浩一訳『ディープラーニング 学習する機械』講談社
谷岡広樹、康鑫『いちばんやさしい ディープラーニング 入門教室』ソーテック社
山本一成『人工知能はどのようにして「名人」を超えたのか？』ダイヤモンド社
ディープラーニング研究会『60分でわかる！ ディープラーニング 最前線』技術評論社
和田尚之『「機械学習」と「ＡＩ」のはなし』工学社
日本棋院『囲碁入門指導へのアドバイス』日本棋院
国本大悟、須藤秋良『スッキリわかるPython入門』インプレス

終　章

池田大作「ウクライナ危機と核問題に関する緊急提言『平和の回復へ歴史創造力の結集を』」（「聖教新聞」２０２３年1月11日付）
池田大作『21世紀文明と大乗仏教』第三文明社
ジェリー・メイヤー、ジョン・Ｐ・ホームズ『アインシュタイン１５０の言葉』ディスカヴァー・トゥエンティワン
フレデリック・ルノワール／今枝由郎、富樫瓔子訳『仏教と西洋の出会い』トランスビュー
「ウクライナ侵攻」分析班『ゼレンスキー大統領、世界に向けた魂の演説集』扶桑社
林一、林大訳『アインシュタインは語る』大月書店

著者略歴

坂 じゅんいち（さか・じゅんいち）

1948年生まれ。大阪工業大学卒業後、大阪府立高等学校教員に。教員時代に大阪府高等学校囲碁連盟事務局長、近畿高等学校囲碁連盟副会長などを歴任し、学校教育に囲碁を取り入れようと尽力してきた。2005年、NPO法人囲碁教育振興会を創設。「アジア平和子ども囲碁大会」を主催するなど、アジア友好と囲碁教育の普及をめざし活動を続けている。西沢学園専門学校数学科非常勤講師。NPO法人囲碁教育振興会名誉代表。アジア平和学生囲碁連盟会長。

囲碁《いご》AI《エーアイ》の技術《ぎじゅつ》と思想《しそう》

2024年5月19日　初版第1刷発行

著　者　坂《さか》じゅんいち
発行者　松本義治
発行所　株式会社　第三文明社
東京都新宿区新宿1-23-5　〒160-0022
電話番号　03（5269）7144（営業代表）
03（5269）7145（注文専用）
03（5269）7154（編集代表）
振替口座　00150-3-117823
URL　https://www.daisanbunmei.co.jp/
印刷・製本　精文堂印刷株式会社

ISBN 978-4-476-03423-3